Né en 1949, Boualem Sansal vit à Boumerdès, près d'Alger.
Il est notamment l'auteur du *Serment des barbares*, prix du
Premier Roman 1999, et du *Village de l'Allemand*, Grand
Prix RTL-*Lire* 2008 et Grand Prix SGDL du roman 2008.
Boualem Sansal a reçu le prix de la Paix des libraires alle-
mands (Friedenspreis des Deutschen Buchhandels) en 2011,
le prix du Roman arabe 2012 pour *Rue Darwin*, et s'est vu
décerner en 2013 le Grand Prix de la francophonie de l'Académie française pour l'ensemble de son œuvre. *2084 : La fin
du monde* a été récompensé par le Grand Prix du roman de
l'Académie française 2015.

Boualem Sansal

2084

La fin du monde

Gallimard

La religion fait peut-être aimer Dieu mais rien n'est plus fort qu'elle pour faire détester l'homme et haïr l'humanité.

AVERTISSEMENT

Le lecteur se gardera de penser que cette histoire est vraie ou qu'elle emprunte à une quelconque réalité connue. Non, véritablement, tout est inventé, les personnages, les faits et le reste, et la preuve en est que le récit se déroule dans un futur lointain dans un univers lointain qui ne ressemble en rien au nôtre.

C'est une œuvre de pure invention, le monde de Bigaye que je décris dans ces pages n'existe pas et n'a aucune raison d'exister à l'avenir, tout comme le monde de Big Brother imaginé par maître Orwell, et si merveilleusement conté dans son livre blanc 1984, n'existait pas en son temps, n'existe pas dans le nôtre et n'a réellement aucune raison d'exister dans le futur. Dormez tranquilles, bonnes gens, tout est parfaitement faux et le reste est sous contrôle.

LIVRE 1

Dans lequel Ati rejoint Qodsabad, sa ville, et capitale de l'Abistan, après deux longues années d'absence, l'une passée dans le sanatorium du Sîn dans la montagne de l'Ouâ et l'autre à crapahuter sur les routes, d'une caravane à l'autre. En chemin, il fera la connaissance de Nas, un enquêteur de la puissante administration des Archives, des Livres sacrés et des Mémoires saintes, qui rentre d'une mission dans un site archéologique nouveau, datant d'avant le Char, la Grande Guerre sainte, dont la découverte a soulevé une étrange agitation au sein de l'Appareil et, croit-on, au cœur même de la Juste Fraternité.

Ati avait perdu le sommeil. L'angoisse le saisissait de plus en plus tôt, à l'extinction des feux et avant même, lorsque le crépuscule déployait son voile blafard et que les malades, fatigués de leur longue journée d'errance, de chambrées en couloirs et de couloirs en terrasses, commençaient à regagner leurs lits en traînant les pieds, en se lançant de pauvres vœux de bonheur pour la traversée nocturne. Certains ne seraient pas là demain. Yölah est grand et juste, il donne et reprend à son gré.

Puis la nuit arrivait, elle tombait si vite dans la montagne qu'elle désarçonnait. Tout aussi abruptement, le froid se faisait ardent et vaporisait l'haleine. Dehors, le vent rôdait sans répit, prêt à tout.

Les bruits familiers du sanatorium l'apaisaient un peu, même s'ils disaient la souffrance humaine et ses alarmes assourdissantes ou les manifestations honteuses de la mécanique humaine, mais ils n'arrivaient pas à couvrir le borborygme fantomatique de la montagne : un lointain écho qu'il imaginait plus qu'il ne l'entendait, venant des profondeurs de la terre, chargé de miasmes et de menaces. Et cette montagne de l'Ouâ aux confins de l'empire l'était, lugubre et oppressante, autant par son immensité et son aspect torturé que par les histoires qui couraient dans ses vallées et remontaient au sanatorium dans la foulée des pèlerins qui deux fois l'an traversaient la région du Sîn, faisant toujours un crochet par l'hôpital quêtant chaleur et pitance pour la route. Ils venaient de loin, des quatre coins du pays, à pied, déguenillés et fiévreux, dans des conditions souvent périlleuses ; il y avait du merveilleux, du sordide et du criminel dans leurs récits sibyllins, d'autant plus troublants qu'ils les disaient à voix basse, s'interrompant au premier bruit pour loucher par-dessus leurs épaules. Comme tout un chacun, pèlerins et malades ne manquaient jamais d'être attentifs, dans la crainte d'être surpris par les surveillants, peut-être les terribles V, et dénoncés comme *makoufs*, propagandistes de la Grande Mécréance, secte mille fois honnie. Ati aimait le contact de ces voyageurs au long cours, le recherchait, ils avaient amassé tant d'histoires et de découvertes au cours de leurs pérégrinations. Le pays était si vaste et si totalement inconnu qu'on aurait voulu se perdre dans ses mystères.

Les pèlerins étaient les seules personnes autorisées à y circuler, non pas librement mais selon des calendriers précis, par des chemins balisés qu'ils ne pouvaient quitter, jalonnés de haltes plantées au milieu de nulle part, des plateaux arides, des steppes sans fin, des fonds de canyons, des lieux-dits sans âme, où ils étaient comptés, divisés en groupes comme les armées en campagne qui bivouaquent autour de mille feux de camp dans l'attente d'un ordre de rassemblement et de départ. Les pauses duraient si longtemps parfois que les pénitents s'enracinaient dans d'immenses bidonvilles et se comportaient comme des réfugiés oubliés, ne sachant plus trop ce qui la veille nourrissait leurs rêves. Dans le provisoire qui dure, il y a une leçon : l'important n'est plus le but mais la halte, fût-elle précaire, elle offre repos et sécurité, et ce faisant elle dit l'intelligence pratique de l'Appareil et l'affection du Délégué pour son peuple. Des soldats apathiques et des commissaires de la foi tourmentés et vifs comme des suricates se relayaient le long des routes, en des points névralgiques, pour regarder passer les pèlerins, avec l'idée de les surveiller. On ne sache pas qu'il y ait eu un jour une évasion ou une chasse à l'homme, les gens allaient leur chemin comme on leur disait, ne traînant les pieds que lorsque la fatigue les gagnait et commençait à éclaircir les rangs. Tout était bien réglé et finement filtré, il ne pouvait rien advenir hors la volonté expresse de l'Appareil.

On ne sait pas les raisons de ces restrictions. Elles sont anciennes. La vérité est que la question n'avait jamais effleuré un quelconque esprit, l'harmonie régnait depuis si longtemps qu'on ne se connaissait aucun motif d'inquiétude. La maladie et la mort elles-mêmes, qui passaient plus qu'à leur tour, étaient sans effet sur le moral des gens. Yölah est grand et Abi est son fidèle Délégué.

Le pèlerinage était le seul motif admis pour circuler dans le pays, excepté les nécessités administratives et commerciales pour lesquelles les agents disposaient d'un sauf-conduit devant être composté à chaque étape de la mission. Ces contrôles qui se répétaient à l'infini et mobilisaient des nuées de guichetiers et de poinçonneurs n'avaient pas davantage de raison d'être, ils étaient une survivance de quelque époque oubliée. Le pays vivait des guerres récurrentes, spontanées et mystérieuses, cela était sûr, l'ennemi était partout, il pouvait surgir de l'est ou de l'ouest, tout autant que du nord ou du sud, on se méfiait, on ne savait à quoi il ressemblait ni ce qu'il voulait. On l'appelait l'Ennemi, avec un accent majuscule dans l'intonation, cela suffisait. On croit se souvenir qu'un jour il a été annoncé qu'il était mal de le nommer autrement et cela avait paru légitime et si évident, il n'y a sensément aucune raison de mettre un nom sur une chose que personne n'a jamais vue. L'Ennemi prit une dimension fabuleuse et épouvantable. Et un jour, sans qu'aucun signal ne fût donné, le mot Ennemi disparut du lexique. Avoir des ennemis est un constat de faiblesse, la victoire est totale ou n'est pas. On parlait de la Grande Mécréance, on parlait de *makoufs,* mot nouveau signifiant renégats invisibles et omniprésents. L'ennemi intérieur avait remplacé l'ennemi extérieur, ou l'inverse. Puis vint le temps des vampires et des incubes. Lors des grandes cérémonies, on évoquait un nom chargé de toutes les peurs, le Chitan. On disait aussi le Chitan et son assemblée. Certains y ont vu une autre façon de dire le Renégat et les siens, expression que les gens entendaient plutôt bien. Ce n'est pas tout, qui prononce le nom du Malin doit cracher à terre et réciter trois fois la formule consacrée : « Que Yölah le bannisse et le maudisse ! » Plus tard, après avoir surmonté d'autres empêchements, on donna enfin au Diable, le Malin, le Chitan, le Renégat, son vrai nom : Balis, et ses adeptes, les renégats, devinrent les balisiens. Les choses paraissaient du coup plus claires, mais tout de même on continua longtemps à se demander pourquoi toute cette éternité passée on avait usé de tant de faux noms.

La guerre fut longue, et plus que terrible. Ici et là, et à vrai dire partout (mais sans doute plusieurs malheurs sont-ils venus ajouter à la guerre, séismes et autres maelströms), on en voit les traces pieusement conservées, arrangées comme des installations d'artistes portés à la démesure solennellement offertes au public : des pâtés d'immeubles éventrés, des murs criblés, des quartiers entiers ensevelis sous les gravats, des carcasses éviscérées, des cratères gigantesques transformés en dépotoirs fumants ou marécages putrides, des amoncellements hallucinants de ferrailles tordues, déchirées, fondues, dans lesquelles on vient lire des signes et, en certains lieux, de vastes zones interdites, de plusieurs centaines de *kilosiccas* ou *chabirs* carrés, ceintes de palissades grossières aux lieux de passage, arrachées par endroits, des territoires nus, balayés par des vents glacés ou torrides, où il semble s'être produit des événements dépassant l'entendement, des morceaux de soleil tombés sur la planète, des magies noires qui auraient déclenché des feux infernaux, quoi d'autre, car tout, terre, rochers, ouvrages de main d'homme, est vitrifié en profondeur, et ce magma irisé émet un grésillement lancinant qui hérisse le poil, fait bourdonner les oreilles, affole le rythme cardiaque. Le phénomène attire les curieux, on se presse autour de ces miroirs géants et on s'amuse de voir ses poils se dresser comme à la parade, sa peau rougir et se boursoufler à vue d'œil, son nez saigner à grosses gouttes. Que les populations de ces régions, hommes et bêtes, connaissent des maladies inouïes, que leur progéniture arrive à la vie munie de toutes les difformités possibles et que cela n'ait pas rencontré d'explication n'a pas effrayé, on a continué à remercier Yölah pour ses bienfaits et à louer Abi pour son affectueuse intercession.

Plantés aux bons endroits, des panneaux d'information expliquaient qu'après la guerre, appelée le Char, la Grande Guerre sainte, les destructions s'étendaient à l'infini et que les morts, de nouveaux martyrs, se comptaient par centaines de millions. Des années durant, des décennies entières, tout le temps qu'a duré la guerre et longtemps après, des gaillards se sont employés à ramasser les cadavres, à les transbahuter, les empiler, les incinérer, les traiter à la chaux vive, les enfouir dans des tranchées sans fin, les entasser dans les entrailles de mines abandonnées, des grottes profondes refermées à la dynamite. Un décret d'Abi a rendu licites, pour le temps nécessaire, ces pratiques fort éloignées du rite funéraire du peuple des croyants. Ramasseur et incinérateur de cadavres ont longtemps été des métiers en vogue. Tout homme ayant du muscle et des reins solides pouvait s'y adonner, à plein temps ou à l'occasion, entre deux saisons, mais au final ne restèrent au front que les vrais costauds. Ils passaient de région en région avec leurs apprentis et leurs instruments de travail, la charrette à bras, des cordages, un palan, un fanal et, pour les mieux équipés, un animal de trait, prenaient une concession à leur mesure et se mettaient à l'ouvrage. L'image est demeurée dans la mémoire des anciens de ces colosses austères et placides cheminant dans le lointain, par les sentes et les cols, leur tablier de cuir épais battant leurs cuisses massives, tirant des carrioles lourdement chargées, suivis de leurs apprentis et parfois de leurs familles. L'odeur de leur profession les suivait, les précédait, s'incrustant partout, remugle émétique de chair putréfiée, de graisse brûlée, de chaux vive effervescente, de terre polluée, de gaz obsédants. Au fil du temps, les gaillards ont disparu, le pays était assaini, ne sont restés que quelques rares vieillards taciturnes et lents qui se louaient pauvrement aux alentours des hôpitaux, des hospices et des cimetières. Triste fin pour ces héroïques éboueurs de la mort.

L'Ennemi avait quant à lui tout bonnement disparu. Nulle trace ne fut jamais trouvée de son passage dans le pays, de sa misérable présence sur terre. La victoire sur lui fut « totale, définitive, irrévocable », selon l'enseignement officiel. Yölah avait tranché, à son peuple plus croyant que jamais il avait offert la suprématie, à lui promise depuis les origines. Une date s'était imposée, sans qu'on sache comment ni pourquoi, elle s'était incrustée dans les cerveaux et figurait sur les panneaux commémoratifs plantés près des vestiges : 2084. Avait-elle un lien avec la guerre ? Peut-être. Il n'était pas précisé si elle correspondait au début ou à la fin ou à un épisode particulier du conflit. Les gens avaient envisagé une chose puis une autre, plus subtile, en rapport avec la sainteté de leur vie. La numérologie

22

devint un sport national, on additionna, on retrancha, on multiplia, on fit tout ce qu'il était possible de faire avec les nombres 2, 0, 8 et 4. Un temps fut retenue l'idée que 2084 était tout simplement l'année de naissance d'Abi, ou celle de son illumination par la lumière divine intervenue alors qu'il entrait dans sa cinquantième année d'âge. Le fait est que personne, déjà, ne doutait que Dieu lui offrait un rôle *nouveau et unique* dans l'histoire de l'humanité. C'est à cette époque que le pays qui n'avait d'autre nom que « le pays des croyants » s'est appelé Abistan, un fort joli nom, utilisé par les officiels, Honorables et Sectaires de la Juste Fraternité et agents de l'Appareil. Le bas peuple était resté sur la vieille appellation de « pays des croyants », et dans la conversation courante, oubliant risques et périls, il allait au plus court, il disait « le pays », « la maison », « chez nous ». Le regard des peuples est ainsi, insouciant et réellement peu inventif, il ne voit pas au-delà de sa porte. On dirait qu'il s'agit d'une forme de politesse de leur part : l'ailleurs a ses maîtres, le regarder c'est violer une intimité, rompre un pacte. S'appeler Abistanais, Abistani au pluriel, avait un côté officiel stressant, qui disait les ennuis et les rappels à l'ordre, voire des assignations, les gens parlaient d'eux-mêmes en disant « les gens », persuadés que cela leur suffisait pour se reconnaître.

À un autre moment, la date a été rapportée à la fondation de l'Appareil et, plus avant, à *la devise?*

celle de la Juste Fraternité, la congrégation des quarante dignitaires choisis parmi les croyants les plus sûrs par Abi en personne, après que lui-même avait été élu par Dieu pour l'assister dans la tâche colossale de gouverner le peuple des croyants et de l'amener en entier dans l'autre vie, où chacun se verra questionné par l'Ange de justice sur ses œuvres. On leur disait que dans cette lumière l'ombre ne cachait rien, elle était un révélateur. C'est au cours de ces cataclysmes qui se succédèrent en réplique l'un de l'autre qu'à Dieu on donna un nom nouveau, Yölah. Les temps avaient changé, selon la Promesse primordiale, un autre monde était né, dans une terre purifiée, consacrée à la vérité, sous le regard de Dieu et d'Abi, il fallait tout renommer, tout réécrire, de sorte que la vie nouvelle ne soit d'aucune manière entachée par l'Histoire passée désormais caduque, effacée comme n'ayant jamais existé. À Abi, la Juste Fraternité donna le titre humble mais tellement explicite de Délégué et elle conçut pour lui une salutation sobre et émouvante, on disait « Abi le Délégué, le salut sur lui » et on s'embrassait le dos de la main gauche.

Tant de récits ont circulé avant que tout s'éteigne et rentre dans l'ordre. L'Histoire a été réécrite et scellée de la main d'Abi. Ce qui de l'ancien temps avait pu s'accrocher au fond des mémoires expurgées, des lambeaux, de la fumée, alimentait de vagues délires chez les

24

vieux atteints de démence. Pour les générations de la Nouvelle Ère, les dates, le calendrier, l'Histoire n'avaient pas d'importance, pas plus que l'empreinte du vent dans le ciel, le présent est éternel, aujourd'hui est toujours là, le temps en entier tient dans la main de Yölah, il sait les choses, il décide de leur signification et instruit qui il veut.

Quoi qu'il en soit, 2084 était une date fondatrice pour le pays même si nul ne savait à quoi elle correspondait.

L'affaire était ainsi, simple et compliquée, sans être absurde. Les candidats au pèlerinage s'inscrivaient sur une liste pour tel lieu saint, choisi à leur place par l'Appareil, et attendaient d'être appelés à rejoindre une caravane en partance. L'attente durait une année ou toute la vie, sans rémission, auquel cas l'aîné du défunt héritait du certificat d'inscription, mais pas le second et jamais les sœurs : la sainteté ne se divise pas et ne change pas de sexe. Il s'ensuivait une fête grandiose. L'ascèse continuait par le fils, l'honneur de la famille en était renforcé. Ils étaient des millions et des millions à travers le pays, issus de toutes ses soixante provinces, de tous âges et conditions, à compter les jours qui les séparaient du grand départ, le Jobé, le Jour Béni. Dans certaines régions s'était installée la coutume de se rassembler en foules immenses, une fois l'an, et de se flageller abondamment au fouet à clous, dans la joie et le chahut, pour dire

que la souffrance n'était rien rapportée au bonheur d'espérer le Jobé ; dans d'autres régions, on
se réunissait en jamborees fameux, on se mettait
en cercle, en tailleur, genoux contre genoux, et
on écoutait les vieux candidats, arrivés au bout
de l'épuisement mais pas de l'espoir, raconter
leur long et bienheureux calvaire, appelé l'Expectation. Chaque phrase était ponctuée d'un
encouragement du répétiteur armé d'un puissant porte-voix : « Yölah est juste », « Yölah est
patient », « Yölah est grand », « Abi te soutient »,
« Abi est avec toi », etc., repris par dix mille
gosiers étreints par l'émotion. Puis on priait au
coude à coude, on psalmodiait à tue-tête, on
chantait des odes écrites de la main d'Abi, et on
recommençait jusqu'à l'épuisement. Et arrivait
l'instant fort, on égorgeait des moutons et des
bœufs gras par troupeaux. Les équarrisseurs les
plus adroits de la région étaient requis, il s'agissait d'un sacrifice, il a ses difficultés, égorger
n'est pas tuer, mais exalter. Il fallait ensuite rôtir
toute cette viande. Les flambées se voyaient
de loin, l'air se chargeait de gras et la bonne
odeur de viande braisée allait titiller tout ce qui
dans un rayon de dix *chabirs* portait nez, groin,
museau ou bec. C'était un peu l'orgie, interminable et vulgaire. Les mendiants qui accouraient
en nuées électriques, attirés par le fumet, ne
résistaient pas à l'abondance de chair ruisselant
de bon jus, une ivresse extrême s'emparait d'eux
qui les conduisait à des comportements éloi-
gnés de la religion, mais après tout leur voracité

était bienvenue sinon que faire de tant de viande sanctifiée? La jeter était un sacrilège.

state enforced

La passion pour le pèlerinage était entretenue par des campagnes incessantes, mêlant réclames, prêches, foires, concours et manipulations diverses, diligentées par le très puissant ministère des Sacrifices et Pèlerinages. C'était une ancienne et très sainte famille aimée d'Abi qui détenait le monopole du Battage, le *moussim*, qu'elle exerçait avec la justesse qui sied à la religion, « Ni trop peu ni pas assez » était sa devise commerciale, connue même des enfants. Bien d'autres professions gravitaient autour des sacrifices et des pèlerinages et autant de nobles familles se dépensaient pour offrir le meilleur. En Abistan, il n'y avait d'économie que religieuse.

Lesdites campagnes s'étalaient sur l'année, avec un pic en été, pendant le Siam, la semaine sacrée de l'Abstinence absolue, coïncidant avec le retour des pèlerins de leurs lointains et merveilleux séjours dans l'un des mille et un sites ouverts au pèlerinage à travers le pays, lieux saints, terres sacrées, mausolées, lieux de gloire et de martyre où le peuple des croyants avait remporté de sublimes victoires sur l'Ennemi. Un hasard têtu l'avait conformé de la sorte : les sites étaient tous placés à l'autre bout du monde, loin des routes et des agglomérations, et cela faisait que le pèlerinage était une longue et impossible expédition qui prenait des années, on traversait le pays de part en part, à pied, par les chemins ardus et solitaires, comme le voulait la tradition, ce qui rendait des plus improbables le retour des vieux et des malades. Mais c'était bien là le vrai rêve des postulants, mourir sur le chemin de la sainteté, comme s'ils pensaient qu'après tout il n'était pas si bon que la perfection soit atteinte de leur vivant, elle imposait à l'élu tant de charges et de devoirs qu'il trahirait forcément, perdant ainsi d'un coup le bénéfice de tant d'années de sacrifices. Et puis comment, sauf à se comporter en potentat, un petit saint pourrait-il jouir de la perfection dans un monde si imparfait?

Personne, pas un digne croyant ne s'est laissé aller à penser que ces périlleux pèlerinages étaient une façon efficace d'éloigner les foules pléthoriques des villes et de leur offrir une belle mort sur la route de l'accomplissement. De même, nul n'a jamais pensé que la Guerre sainte poursuivait le même but : transformer d'inutiles et misérables croyants en glorieux et profitables martyrs.

Il allait de soi que le saint du saint de tous les saints était la petite maison de pierres erratiques qui avait vu naître Abi. La masure était la plus pitoyable de la création mais les miracles qui s'y produisaient étaient bien au-dessus de l'extraordinaire. Il n'était pas un Abistanais qui n'eût pas chez lui une reproduction de la sainte demeure; elle était en papier mâché, en bois, en jade ou en or, mais toutes disaient le même amour pour Abi. Personne ne le signalait, les gens ne l'avaient pas remarqué, mais toutes les onze années ladite maisonnette changeait de lieu, cela en vertu d'une disposition secrète de la Juste Fraternité qui organisait la rotation du prestigieux monument par souci d'équité entre les soixante provinces de l'Abistan. On ne le savait pas davantage mais un programme, l'un des plus discrets de l'Appareil, préparait longtemps à l'avance le site de réception et formait les riverains à leur rôle de futurs témoins historiques, qui auraient à apprendre aux pèlerins ce que représentait pour eux de vivre dans le voisinage d'une chaumière unique dans l'univers. Les pénitents le leur rendaient bien, ils ne lésinaient pas sur les acclamations, les larmes et les petits cadeaux. La communion était totale. Sans témoins pour la raconter, l'Histoire n'existe pas, quelqu'un doit amorcer le récit pour que d'autres le terminent.

Le système touffu des restrictions et des interdits, la propagande, les prêches, les obligations cultuelles, l'enchaînement rapide des cérémonies, les initiatives personnelles à déployer qui comptaient tant dans la notation et l'octroi des privilèges, tout cela additionné avait créé un esprit particulier chez les Abistani, perpétuellement affairés autour d'une cause dont ils ne savaient pas la première lettre.

Accueillir les pèlerins au retour de leur longue absence, auréolés de fraîche sainteté, les fêter, les gaver de friandises, prendre quelque chose d'eux, un objet, une mèche de cheveux, une relique quelconque, était un moment et une occasion que la population et les candidats au Jobé n'auraient ratés pour rien au monde. Ces trésors n'avaient pas de prix au marché des reliques. Mais plus que cela, on apprenait des merveilles de ces chers pèlerins, ils étaient les yeux qui avaient vu le monde et atteint ses lieux les plus sacrés.

Dans l'entrelacs des routines et des sacrements, l'Expectation était une épreuve que les candidats vivaient avec un bonheur croissant. La patience est l'autre nom de la foi, elle est le chemin et le but, tel était l'enseignement premier, au même titre que l'obéissance et la soumission, qui faisaient le bon croyant. Il fallait aussi, durant tout ce temps, en chaque instant, de jour et de nuit, sous le regard des hommes et de Dieu, rester un méritant parmi les méritants. On ne connaît pas un Expectant qui ait survécu une minute à la honte d'être retiré de la liste si glorieuse des candidats au pèlerinage dans les Lieux saints. C'était là une absurdité que l'Appareil aimait à laisser courir, personne n'avait jamais failli, personne n'était mort de honte, chacun savait que le peuple des croyants ne recélait pas d'hypocrites en son sein, comme il savait que la vigilance de l'Appareil était infaillible, les Indusoccupants auraient été éliminés avant que les effleurât l'idée de leurrer qui que ce fût. L'intox, la provoc, l'agit-prop, c'était la plaie, le peuple avait besoin de clarté et d'encouragement, pas de fausses rumeurs ni de menaces voilées. L'Appareil allait parfois trop loin dans la manip, il faisait n'importe quoi, jusqu'à s'inventer de faux ennemis qu'il s'épuisait ensuite à dénicher pour, au bout du compte, éliminer ses propres amis.

Ati s'était pris de passion pour ces aventuriers au long cours, il les écoutait l'air de rien pour ne pas les effaroucher ni alerter les antennes du guet, mais, emporté par son élan, il se trouvait à les questionner avidement, à la manière des enfants, à coups de « pourquoi » et de « comment » insistants. Toujours cependant il restait sur sa faim, avec des remontées subites d'angoisse et de colère. Quelque part, il y avait un mur qui empêchait de voir au-delà des racontars de ces pauvres errants en liberté surveillée, conditionnés pour propager des chimères à travers le pays. Ati regrettait de le penser mais il ne doutait pas que ces délires avaient été mis dans leur bouche par ceux-là qui de loin, au cœur de l'Appareil, contrôlaient leur pauvre cerveau. Quel meilleur moyen que l'espoir et le merveilleux pour enchaîner les peuples à leurs croyances, car qui croit a peur et qui a peur croit aveuglément. Mais c'était là une réflexion qu'il se ferait plus tard, au cœur de la tourmente : il s'agirait pour lui de briser la chaîne qui amarre la foi à la folie et la vérité à la peur, pour se sauver de l'anéantissement.

Dans l'obscurité et le remous des vastes chambres surpeuplées, d'étranges et pressantes douleurs l'envahissaient, il en frémissait à l'instar des chevaux à l'étable qui sentent le danger rôder dans la nuit. L'hôpital semblait bien héberger la mort. La panique ne tardait pas, elle le poursuivait jusqu'à l'aube et ne refluait que lorsque la lumière du jour entreprenait de repousser les ombres grouillantes de la nuit et que le service du matin entrait en action dans le vacarme des casseroles et des querelles. La montagne lui avait toujours fait peur, il était un homme des villes, né dans la chaleur de la promiscuité, et là, dans son lit de misère, suant et pantelant, il se sentait à sa merci, écrasé par son gigantisme et sa dureté, oppressé par ses émanations sulfureuses.

C'était pourtant la montagne qui l'avait guéri. Il était arrivé au sanatorium dans un état calamiteux, la tuberculose le saignait vivant, il crachait du sang à gros caillots, la toux et la fièvre le rendaient fou. En une année, il avait retrouvé une petite forme. Le grand air glacé était un feu ardent, il carbonisait sans pitié les petits vers qui lui dévoraient les poumons – les malades en parlaient de cette manière imagée, bien que sachant que le mal venait de Balis le Renégat et que c'est la volonté divine qui en dernier ressort décide de l'ordonnance des choses. Les infirmiers, de rudes montagnards à peine équarris, ne pensaient pas autrement, à heures fixes ils distribuaient des pilules grossièrement roulées

32

et des décoctions émétiques, sans oublier de renouveler les talismans quand il en arrivait de nouveaux, annoncés par d'excellentes rumeurs. Quant au docteur qui passait en coup de vent une fois le mois sans adresser la parole à quiconque, sinon par des claquements de doigts, nul n'osait même l'effleurer du regard. Il n'était pas du peuple, il appartenait à l'Appareil. On bredouillait des excuses à son passage et on disparaissait par le premier trou. Le régisseur de l'asile lui ouvrait la voie en fouettant l'air de sa badine. Ati ne savait rien de l'Appareil, sinon qu'il avait pouvoir sur tout, au nom de la Juste Fraternité et d'Abi, dont le portrait géant était placardé sur tous les murs d'un bout à l'autre du pays. Ah, ce portrait, il faut le savoir, il était l'identité du pays. Il se réduisait en fait à un jeu d'ombres, une sorte de visage en négatif, avec au centre un œil magique pointu comme un diamant, doté d'une conscience capable de perforer des blindages. On savait bien qu'Abi était un homme, et des plus humbles, mais il n'était pas un homme comme les autres, il était le Délégué de Yölah, le père des croyants, le chef suprême du monde, enfin il était immortel par la grâce de Dieu et l'amour de l'humanité ; et si personne ne l'avait jamais vu, c'était simplement que sa lumière était aveuglante. Non, véritablement il était trop précieux, l'exposer au regard du commun était impensable. Autour de son palais, au cœur de la cité interdite, sise au centre de Qodsabad, étaient massés des centaines d'hommes solidement armés, disposés en barrières concentriques étanches qu'une mouche ne pouvait franchir sans le visa de l'Appareil. Les malabars étaient sélectionnés à la naissance, formés avec un soin minutieux par l'Appareil et n'obéissaient qu'à lui, rien ne pouvait les distraire, les détourner, les retourner, nulle compassion ne pouvait ralentir leur cruauté. Étaient-ils des humains, on ne le savait pas, le cerveau leur était retiré à la naissance, ce qui expliquerait leur terrifiante obstination et leur regard halluciné. Le petit peuple, qui ne manque jamais de bien nommer ce qu'il ne comprend pas, les avait appelés les Fous d'Abi. On les supposait originaires d'une lointaine province du sud, d'une tribu coupée du monde qu'un pacte fabuleux liait à Abi. À eux aussi, le peuple avait donné un nom qui disait bien les choses : la leg-abi, pour la légion d'Abi.

Le dispositif sécuritaire était si démesuré que d'aucuns pensaient que ces inébranlables robots gardaient un nid vide, voire rien, simplement une idée, un postulat. C'était un peu s'amuser avec le mystère; à ces niveaux d'ignorance, chacun ajoute sa part de divagations, mais tous savaient qu'Abi était omniprésent, simultanément ici et là, dans une capitale provinciale et une autre, dans un palais identique gardé de cette façon hermétique, d'où il irradiait lumière et vie sur le peuple. C'est la force de l'ubiquité, en tout point est le centre et ainsi chaque jour des foules ardentes venaient en procession

34

autour de ses soixante palais lui offrir leurs meil-
leures dévotions et de riches présents et ne lui
demandaient en retour que le paradis à leur
mort.

L'idée de le représenter de cette façon, avec
un œil unique, a pu provoquer des discussions,
des hypothèses ont été avancées : on a dit qu'il
était borgne, de naissance pour les uns, par suite
des souffrances qu'il avait endurées durant son
enfance selon d'autres, on a dit aussi qu'il avait
réellement un œil au milieu du front, ce qui était
la marque d'un destin prophétique, mais on a
dit avec la même fermeté que l'image était symbolique, elle signalait un esprit, une âme, un
mystère. Diffusé à cette échelle, des centaines
de millions d'exemplaires par an, ce portrait
aurait provoqué la folie par indigestion si l'art
ne l'avait doté d'un magnétisme surpuissant,
émettant d'étranges vibrations qui emplissaient
l'espace comme le chant envoûtant des baleines
sature les océans à la saison des amours. Au
premier regard le passant était subjugué puis
très vite heureux, il se sentait intensément protégé, aimé, promu, écrasé aussi par la majesté
et ce qu'elle suggérait de formidable violence.
Des attroupements se formaient devant les por-
traits géants richement illuminés qui habillaient
les façades des grandes administrations. Aucun
artiste au monde n'aurait pu réaliser telle mer-
veille, elle avait été exécutée par Abi lui-même
sous l'inspiration de Yölah, telle était la vérité
comme on l'apprenait très tôt.

Un jour quelqu'un avait écrit quelque chose dans le coin d'un portrait d'Abi. Mot incompréhensible, il était gribouillé dans une langue inconnue, une graphie ancienne d'avant la première Grande Guerre sainte. Les gens n'étaient pas seulement intrigués, ils attendaient un grand événement. Puis circula la rumeur que le mot avait été traduit par le bureau du chiffre de l'Appareil ; le mystérieux libellé se lisait ainsi en *abilang* : « Bigaye vous observe ! » Cela ne voulait rien dire mais le nom étant sympathique dans sa sonorité il fut aussitôt adopté par le peuple, et voici Abi affectueusement baptisé Bigaye. On n'entendait plus que Bigaye par-ci, Bigaye par-là, Bigaye le bien-aimé, Bigaye le juste, Bigaye le clairvoyant, jusqu'au jour où un décret de la Juste Fraternité vint interdire l'usage de ce mot barbare sous peine de mort immédiate. Peu de temps après, le communiqué n° 66710 des *NoF*, les *Nouvelles du Front*, annonça triomphalement que l'infâme barbouilleur avait été découvert et sur-le-champ exécuté ainsi que toute sa famille et ses amis, et leurs noms effacés des registres depuis la première génération. Le silence s'installa dans le pays mais beaucoup en leur for intérieur se posèrent la question : pourquoi le mot interdit était-il ainsi orthographié dans ledit décret *Big Eye* ? D'où venait l'erreur ? Du scribe des *NoF* ? de son directeur, l'Honorable Suc ? De qui d'autre ? Ce ne pouvait être de Duc, le Grand Commandeur, chef de la Juste

Fraternité, encore moins d'Abi : il avait inventé l'*abilang*, l'aurait-il voulu qu'il n'aurait pu commettre de faute, d'aucune sorte.

Le fait est qu'Ati avait pris des couleurs et quelques petits kilos. Les glaires étaient encore épaisses, il respirait mal, gémissait tant et plus, toussait beaucoup, mais ne crachait plus de sang. Pour le reste, la montagne ne pouvait rien, la vie était dure, le pays manquait de tout, les privations s'ajoutant aux privations remplissaient le quotidien, si on peut dire les choses de cette façon. On s'abîmait dès l'entrée en vie, c'était naturel. Si haut dans la montagne et si loin de la ville, le déclin était rapide. Le sanatorium était le terminus assuré pour beaucoup, les vieillards, les enfants, les déficients graves. Les pauvres sont ainsi, résignés jusqu'au bout, ils commencent à se soigner lorsque la vie finit de les abandonner. Leur façon de s'emmitoufler dans leur *burni*, ample manteau de laine imperméabilisé par la crasse et rapiécé en mille endroits, avait quelque chose de funèbre et de grandiose, on aurait dit qu'ils se drapaient d'un linceul de roi, prêts à suivre la mort séance tenante. Ils ne le quittaient ni le jour ni la nuit, comme s'ils craignaient d'être surpris par la fatalité et de partir nus et honteux dans la mort, qu'au demeurant ils attendaient sans crainte et accueillaient avec une familiarité non feinte, obséquieuse, dirait-on. La mort n'hésitait pas, elle frappait là, là et là, et continuait plus loin.

Ceux qui la priaient lui ouvraient l'appétit, elle mettait les bouchées doubles. Leur départ passait inaperçu, il n'y avait personne pour les pleurer ici. Les malades ne manquaient pas, il en arrivait plus qu'il n'en partait, on ne savait où les caser. Un lit vide ne le restait pas longtemps, les souffrants qui dormaient sur des grabats dans les larges couloirs venteux se le disputaient âprement. Les arrangements conclus en amont ne suffisaient pas toujours à assurer des successions pacifiques.

Il n'y avait pas que les pénuries, il y avait les difficultés du terrain, elles faisaient oublier le reste. La nourriture, les médicaments, les fournitures nécessaires à l'économie du sanatorium étaient acheminés de la ville par camions – des mastodontes difformes tatoués sur tout le corps qui avaient l'âge de la montagne et ne craignaient rien, du moins jusqu'aux premiers contreforts où l'oxygène commençait à se faire trop léger pour leurs gros pistons – puis à dos d'hommes et de mulets tout aussi braves et endurants, et grimpeurs émérites, mais d'une lenteur exécrable : ils arrivaient quand ils pouvaient, selon les aléas du climat, l'état des pistes et des corniches, leur humeur et le niveau des chicanes tribales qui avaient le chic pour tout bloquer avec incidence immédiate sur le tracé des routes.

Dans ces montagnes du bout du monde, chaque pas était un défi à la vie, et le sanatorium était au plus loin de ce cul-de-sac de la mort. D'aucuns, en des temps reculés et obscurs, ont pu se demander pourquoi il fallait aller si haut dans la montagne et si loin dans le froid et la désolation pour isoler les tuberculeux qui n'étaient pas plus contagieux que d'autres : les lépreux traînaient partout dans le pays, de même que les pestiférés et ceux qu'on appelait encore les grands fiévreux qui, il est vrai, avaient leurs saisons et leurs zones de prolifération. Jamais personne n'était mort à leur contact ou d'avoir croisé leur regard. Le principe de la contagion n'a pas toujours été bien compris, on ne meurt pas parce que les autres sont malades mais parce qu'on l'est soi-même. Enfin, les choses étaient ainsi, chaque époque a ses peurs, c'était au tour de la tuberculose de porter l'étendard de la maladie suprême qui sème l'effroi parmi les populations. La roue a tourné, d'autres horribles maux sont apparus, ont ruiné des régions exubérantes et rempli les cimetières, puis ont reflué mais, le sanatorium étant toujours là, impressionnant dans son éternité minérale, on a continué d'y envoyer les phtisiques et autres bronchiteux au lieu de les laisser mourir chez eux ou pas loin, parmi les autres malades. Ils se seraient éteints naturellement, entourés de l'affection des leurs, au lieu de cela on les entassait dans les combles du monde où ils se mouraient honteusement, harcelés par le froid, la faim et les mauvais traitements.

Il advenait aussi que la caravane disparaisse

purement et simplement, hommes, bêtes et marchandises. Parfois les soldats affectés à leur protection s'évanouissaient aussi, parfois non ; après quelques jours de recherche on les retrouvait au fond d'un ravin, égorgés, mutilés, à moitié dévorés par les charognards. De leurs fusils, point de trace. Personne ne le disait mais certains entendaient que la caravane avait pris la route interdite et franchi la frontière. C'est ce que pensaient les anciens, leur regard était si éloquent. *Qui a parlé ?* L'ambiance se faisait soudainement oppressante, les vieux se dispersaient en toussotant comme s'ils s'excusaient d'en avoir trop dit, pendant que les jeunes tendaient brusquement l'oreille. Leurs pensées s'entendaient de loin tant elles battaient fort dans leurs têtes.

La route interdite !... la frontière !... Quelle frontière, quelle route interdite ? Notre monde n'est-il pas la totalité du monde ? Ne sommes-nous pas chez nous partout, par la grâce de Yölah et d'Abi ? Qu'a-t-on besoin de bornes ? Qui y comprend quelque chose ?

La nouvelle jetait le sanatorium dans la stupeur et l'abattement, des hommes se flagellaient selon la coutume de leur région, on se cognait la tête contre le mur, on se lacérait la poitrine, on hurlait à la mort : cet acte était une hérésie qui ruinerait les croyants. Quel monde pouvait-il exister au-delà de cette prétendue frontière ? Y trouverait-on seulement de la lumière et un morceau de terre sur lequel une créature de

40

Dieu pourrait se tenir ? Quel esprit pouvait concevoir le dessein de fuir le royaume de la foi pour le néant ? Le Renégat seul inspirait semblables idées, ou les *makoufs*, les propagandistes de la Grande Mécréance : ils étaient capables de tout.

Soudainement, l'événement devenait une affaire d'État et disparaissait de la scène. Le fret perdu était remplacé comme par un coup de baguette magique avec un beau supplément, des friandises, des médicaments onéreux et des talismans efficaces, et rien ne subsistait de l'histoire, pas un écho, mieux, rapidement s'installait l'impression têtue et hypnotique qu'il ne s'était jamais rien passé de fâcheux. Des mutations, des arrestations et des disparitions interviendraient mais personne ne le verrait, l'attention serait attirée ailleurs, les braises n'étaient pas toutes éteintes dans le royaume et les cérémonies ne manquaient pas. Les gardes assassinés seraient élevés à la dignité de martyrs, on apprendrait par les *NoF*, par les *nadirs* (journaux électroniques muraux installés en tous lieux du globe) et par le réseau des *mockbas* où l'on prêchait neuf fois par jour qu'ils étaient tombés au champ d'honneur au cours d'une bataille héroïque présentée comme « la mère de toutes les batailles » à l'instar de toutes les batailles réelles ou rêvées qui l'avaient précédée et comme le seraient toutes celles qui viendraient après, siècle après siècle. Il n'y avait pas de hiérarchie entre les martyrs et jamais de fin dans la Guerre sainte, elle serait prononcée lorsque Yölah écraserait Balis conformément à la Promesse.

Quelles guerres, quelles batailles, quelles victoires, contre qui, comment, quand, pourquoi? étaient des questions qui n'existaient pas, ne se posaient pas, il n'y avait donc pas de réponses à attendre. « La Guerre sainte, on connaît, c'est le cœur de la doctrine mais c'est une théorie parmi les théories! Si les spéculations se réalisent aussi simplement, et de son vivant, alors il n'y a plus de foi, plus de rêve, pas d'amour sincère, le monde est condamné » : ainsi pensaient les gens quand le sol se dérobait sous leurs pieds. Vrai, où s'accrocher sinon à l'incroyable? Lui seul est croyable.

Et le doute amène l'angoisse, et le malheur ne tarde pas. Ati en était là, il avait perdu le sommeil et pressentait d'indicibles terreurs.

Dès son arrivée au sanatorium, au cœur de l'hiver précédent, une caravane disparut, et ses gardes aussi, qui furent retrouvés plus tard au fond d'un ravin, pris dans la glace. Dans l'attente d'une accalmie pour les ramener en ville, les cadavres furent déposés dans la morgue. L'hôpital bruissait de toutes ses dents, les infirmiers couraient dans tous les sens avec leurs bidons et leurs balais, les malades tournicotaient en essaim dans la cour des communs en louchant en direction de la rampe étroite et sombre qui descendait en colimaçon vers la chambre mortuaire, quinze *siccas* plus bas, en fait le bout

42

d'un tunnel, effondré par endroits, qui sinuait sous la forteresse, creusé dans la masse rocheuse à l'époque où la première Guerre sainte faisait rage dans ces confins. On ne savait où se trouvait l'autre bout, il se perdait dans les entrailles de la montagne. C'était une voie de fuite ou une cambuse, une basse-fosse ou des catacombes, peut-être une cachette pour les femmes et les enfants en cas d'invasion ou un lieu de culte interdit comme il s'en découvrait en ces temps dans les endroits les plus invraisemblables. Ce boyau était malsain, il s'était chargé des fureurs des mondes passés, incompréhensibles et si effrayantes qu'en certains jours le fond du puits dégorgeait en gargouillements lugubres. Il y régnait une température de congélation rapide.

Horreur, en plus des blessures reçues dans leur chute vertigineuse, on apprenait que les soldats avaient été salement charcutés. Plus d'oreilles, de langue, de nez, le sexe enfoncé dans la bouche, les testicules éclatés, les yeux crevés. Le mot « torture » avait été prononcé par un vieillard convulsif mais il n'en connaissait pas le sens, il l'avait oublié ou ne voulait pas le dire, ce qui ajouta à l'effroi. Il s'en alla à reculons en marmottant des choses : « ... conjurer... démoc... contre... Yölah nous préserve. » Chez Ati, l'événement déclencherait un processus insidieux qui le mènerait à la révolte. Révolte contre quoi, contre qui, il ne pouvait l'imaginer ; dans un monde immobile, il n'y a pas de compréhension possible, on ne sait que si on entre en révolte, contre soi-même, contre l'empire, contre Dieu, et de cela personne n'était capable, mais aussi comment bouger dans un monde figé? Le plus grand savoir du monde plie devant le grain de poussière qui enraye la pensée. Ceux qui affrontaient la mort dans la montagne, qui s'engageaient sur la route interdite et franchissaient la frontière, eux savaient.

Mais franchir les limites, c'est quoi, pour aller où?

Et pourquoi massacrer ces pauvres diables en uniforme quand ils pouvaient les emmener avec eux, ou simplement les abandonner à leur sort dans la montagne? Comment répondre? Les soldats qui avaient été épargnés par les transfuges et étaient rentrés avaient subi le châtiment réservé aux lâches, aux traîtres, aux mécréants, ils avaient fini au stade, le jour de la grande prière, exécutés sous les acclamations après avoir été offerts en spectacle à travers la ville. Clore une affaire d'État passe par la disparition des témoins, d'une manière ou d'une autre.

Pour Ati, cet hôpital hors du temps était déstabilisant, chaque jour il apprenait des choses énormes, qui auraient été invisibles dans le chahut des villes mais qui ici emplissaient l'espace, colonisaient l'esprit qui se trouvait constamment interpellé, écrasé, humilié. L'isolement du sanatorium était une explication. Dans le vide, la vie se fait bizarre, rien ne la retient, elle ne sait où s'appuyer ni quelle direction prendre. Tourner sur soi-même sans changer de place

colonial

44

est une impression déplorable, vivre trop longtemps de soi et pour soi est mortel. La maladie
abat de son côté bien des certitudes, la mort ne
s'accommode d'aucune vérité qui se veut plus
grande qu'elle, elle les ramène toutes à zéro.
L'existence d'une frontière était bouleversante.
Le monde serait donc divisé, divisible, l'humanité multiple ? Depuis quand ? Depuis toujours,
forcément, si une chose existe elle existe de toute
éternité, il n'y a pas de génération spontanée.
Sauf si Dieu le veut – il est le tout-puissant –,
mais Dieu œuvre-t-il à la division des hommes,
travaille-t-il à la pièce, à l'occasion ?

*Qu'est-ce que la frontière, bon sang, qu'y a-t-il de
l'autre côté ?*

On sait le ciel peuplé d'anges, l'enfer grouil-
lant de démons et la terre couverte de croyants,
mais pourquoi une frontière à ses confins ? Elle
séparait qui de qui, et de quoi ? Une sphère
n'a ni début ni fin. À quoi ressemblerait ce
monde invisible ? Si ses occupants sont doués de
conscience, ont-ils connaissance de notre présence sur terre et savent-ils cette chose impensable, que nous ne savons pas qu'ils existent,
sinon comme une horrible et invraisemblable
rumeur, le résidu improbable d'une ère effacée ? La victoire sur l'Ennemi lors de la Grande
Guerre sainte n'était donc pas si « totale, définitive, irrévocable » ! L'échec nous poursuivait
en vérité et nous recouvrait de sa poussière pendant que nous fêtions continûment la victoire.

Où en sommes-nous, alors? Forcément en ce point calamiteux : nous avons été vaincus, dépossédés de tout et repoussés du mauvais côté de la frontière. Notre monde semble bien en effet être celui des perdants, du bric-à-brac d'après la débâcle, enjoliver la réalité n'est rien de plus que maquiller un mort et l'offrir au ridicule. Et Yölah le tout-puissant et Abi son Délégué, que font-ils avec nous sur ce radeau à la dérive? Qui nous sauvera, de quel côté viendra le secours?

Ces questions étaient dans l'air, le saturaient, Ati n'osait les voir mais il les entendait et en souffrait.

Parfois, malgré la dureté du dispositif de surveillance et d'« assainissement », le doute effleurait des esprits et s'insinuait dans d'autres. Une fois lancée, l'imagination s'invente autant de pistes et de devinettes qu'elle veut pour se porter au loin, sauf que les audacieux sont imprudents, ils se font vite repérer. La tension interne qui les habite électrise l'air autour d'eux et cela suffit, les V ont des antennes ultrasensibles. Croire que l'avenir nous appartient parce qu'on sait est une erreur courante. Dans un monde parfait, il n'y a pas d'avenir, seulement le passé et ses légendes articulées dans un récit de commencement fantastique, pas d'évolution, aucune science; il y a la Vérité, une et éternelle, et toujours, à côté, est la Toute-Puissance qui veille sur elle. Le savoir, le doute et l'ignorance découlent d'une corruption inhérente au monde qui bouge, le monde des morts et des vilains.

Aucun contact n'est possible entre ces mondes. C'est la loi, un oiseau sorti de la cage, fût-ce le temps d'un battement d'ailes, doit disparaître, il ne peut y retourner, il chanterait faux et sèmerait la discorde. Il n'empêche, ce que l'un a vu, entrevu, rêvé seulement, un autre, plus tard, ailleurs, le verra, l'entreverra, le pensera, et peut-être celui-là réussira-t-il à le tirer à la lumière de manière que chacun le voie et entre en révolte contre le mort qui le squatte.

De troubles en questions, de colères en abattements, de rêveries en déceptions, Ati s'était égaré, il n'était sûr que de cela. Dans tout le pays, en ses soixante provinces, il ne se passait jamais rien, rien de visible, la vie était limpide, l'ordre sublime, la communion achevée au sein de la Juste Fraternité, sous le regard d'Abi et la surveillance bienveillante de l'Appareil. Dans un tel couronnement, la vie s'arrête, qu'aurait-elle à imaginer, à refaire, à surpasser ? Dans la foulée, le temps se fige, qu'aurait-il à compter et à quoi servirait l'espace dans l'immobilité ? Abi avait réussi son œuvre, l'humanité reconnaissante pouvait cesser d'exister.

« *Notre foi est l'âme du monde et Abi son cœur battant* »,

« *La soumission est foi et la foi vérité* »,

« *L'Appareil et le peuple font* UN, *comme Yölah et Abi font Un* »,

« *À Yölah nous appartenons, à Abi nous obéissons* »,

link to submission

etc.,

étaient de ces quatre-vingt-dix-neuf sentences-clés qu'on apprenait dès le plus jeune âge et que l'on égrenait tout le restant de sa vie.

Quand le sanatorium avait été érigé, il y avait fort longtemps – un cartouche gravé dans la pierre au-dessus du berceau du monumental portail de la forteresse révélait une date, si c'était bien une date, 1984, entre deux signes cabalistiques effrités, année qui était peut-être celle de son inauguration mais le court texte en légende, qui sans doute le confirmait et indiquait la vocation de la bâtisse, était dans une langue inconnue –, les choses fonctionnaient plutôt pas mal, selon les dires de certains vieux fous, disparus depuis, mais personne n'avait compris de quoi ils parlaient, en tout cas nul ne se souvient qu'ils aient réussi à expliquer quoi que ce soit, le monde a toujours tourné de la même admirable et canonique manière, hier et aujourd'hui, comme il le fera demain et après-demain. Parfois, des semaines et des années durant, l'existence manquait de tout, rien ne retenait le malheur qui déferlait sur les villes et les vies, sauf que c'était chose normale et juste, on se devait de constamment affirmer sa foi et apprendre à narguer la mort. Les prières collectives qui rythmaient les jours et les heures faisaient le reste, elles installaient les ouailles dans une bienheureuse hébétude, et les psalmodies diffusées entre les neuf prières quotidiennes

48

par des haut-parleurs infatigables, accrochés aux bons endroits du sanatorium, se répercutaient de cloisons en parois, de couloirs en chambrées, entrelaçant à l'infini leurs échos lénitifs pour maintenir l'attention au ras de l'aboulie. Le fond sonore s'était si intimement fondu dans le substrat que personne ne remarquait sa disparition, lors des coupures du courant électrique ou des pannes de l'antique sono, quelque chose dans les murs ou dans le subconscient des pensionnaires prenait le relais et psalmodiait avec une réalité aussi vraie que la réalité la plus vraie. Dans le regard absent des orants brillait la même douce et vibrante lumière de l'acceptation, elle ne les quittait jamais. Acceptation, *Gkabul* en *abilang*, était d'ailleurs le nom de la sainte religion de l'Abistan, c'était aussi le titre du saint livre dans lequel Abi avait consigné ses divins enseignements.

À trente-deux, trente-cinq ans, il ne savait trop, Ati était un vieil homme. Il conservait un peu du charme de sa jeunesse et de sa race : il était grand, mince, son teint clair tanné par le vent mordant des cimes faisait ressortir le vert piqué d'or de ses yeux, et sa nonchalance naturelle donnait à ses gestes une sensualité féline. Quand il se redressait, fermait la bouche sur ses dents corrompues et consentait un sourire, il pouvait passer pour un bel homme. Il l'avait été à coup sûr, il se souvenait qu'il s'en désespérait car la beauté physique est une tare, appréciée

par le Renégat, elle attire moqueries et agres-
sions. Abritées derrière leurs voiles épais et leurs
burniqabs, comprimées dans leurs bandages et
toujours bien gardées dans leurs périmètres,
les femmes ne souffraient pas trop, mais pour
l'homme doté de quelque grâce le supplice était
permanent. Une barbe sauvage enlaidit, des
manières frustes et une vêture d'épouvantail
repoussent mais, hélas pour Ati, les gens de sa
race étaient glabres de peau et gracieux de comportement, et lui l'était particulièrement, ajoutant à cela une timidité de jouvenceau qui faisait
saliver les gros sanguins. Ati se souvenait de son
enfance comme d'un cauchemar. Il n'y pensait
plus, la honte avait dressé un barrage. C'est au
sanatorium, où les malades livrés à eux-mêmes
lâchaient la bride à leurs bas instincts, que le
souvenir lui était revenu. Il souffrait de voir les
pauvres gamins fuir et se débattre sans cesse,
mais le harcèlement était tel qu'ils finissaient
par s'abandonner, ils ne pouvaient résister à la
fois à la brutalité des assaillants et à leurs ruses.
La nuit, on les entendait gémir à fendre le cœur.

Ati désespérait de jamais comprendre comment le vice prolifère à proportion de la perfection du monde. Il n'osait conclure par
un contresens, la vertu ne gagnait pas avec le
désordre, et on ne pouvait croire que la dépra-
tion était une survivance des Ténèbres d'avant
la Lumière apportée par Abi, maintenue en
activité pour éprouver le croyant et le tenir sous
la menace. Le changement, fût-il miraculeux,

réclame du temps pour s'accomplir, le bien et le mal cohabitent jusqu'à la victoire finale du premier. Comment savoir où commence l'un, où finit l'autre? Le bien pourrait après tout n'être qu'un succédané du mal, il est dans les ruses de celui-ci de bien s'habiller et de chanter juste, comme il est dans la nature du bien d'être conciliant, jusqu'à la veulerie, la trahison parfois. Il est dit dans le *Gkabul* en son titre 2, chapitre 30, verset 618 : « *Il n'est pas donné à l'homme de savoir ce qu'est le Mal et ce qu'est le Bien, il a à savoir que Yölah et Abi œuvrent à son bonheur.* » religion gnwentees heppiness

Ati ne se reconnaissait pas, il avait peur de cet autre qui l'avait envahi, se montrait si imprudent et s'enhardissait de jour en jour. Il l'entendait lui suggérer des questions et lui souffler des réponses incompréhensibles... et il l'écoutait, tendait l'oreille, le pressait de préciser, de conclure. Le face-à-face l'épuisait. Il était terrifié à l'idée qu'on vienne à le soupçonner, qu'on découvre qu'il était un... il n'osait prononcer le mot... mécréant. Il ne le comprenait pas, ce fichu vocable, on ne le prononçait pas de peur de le matérialiser, or le sens commun se construit sur des choses familières que l'on répète sans y penser... Mé... cré... ant, c'était une abstraction évidemment mensongère, jamais au grand jamais en Abistan il n'a été fait obligation à quiconque de croire, et jamais rien n'a été tenté pour gagner son adhésion sincère, on lui imposait le comportement du parfait croyant, c'est tout. Rien dans le parler, l'attitude ou l'habit ne devait le distinguer du portrait-robot du parfait croyant, conçu par Abi ou quelque lieutenant inspiré de la Juste Fraternité chargé de l'endoctrinement. On le formerait dès la prime enfance et, avant que la puberté pointe à l'horizon et révèle crûment les vraies vérités de la condition humaine, il serait devenu un parfait croyant, incapable d'imaginer qu'il pût exister une autre façon d'être dans la vie. *« Dieu est grand, il a besoin de fidèles parfaitement soumis, il hait le prétentieux et le calculateur »* (*Gkabul*, titre 2, chapitre 30, verset 619).

Le mot le dérangeait plus que cela. Mécroire, c'est refuser une croyance dans laquelle on est inscrit d'office mais, et c'est là que le bât blesse, l'homme ne peut se libérer d'une croyance qu'en s'appuyant sur une autre, comme on soigne une addiction avec des drogues, en l'adoptant plus avant, en l'inventant si besoin. Mais quoi et comment puisque dans le monde idéal d'Abi il n'y a rien qui permette de le faire, aucune opinion en compétition, pas un soupçon de postulat pour accrocher la queue d'une idée rebelle, imaginer une suite, construire une histoire opposable à la vulgate ? Toutes les pistes buissonnières ont été comptées et effacées, les esprits sont strictement réglés sur le canon officiel et régulièrement ajustés. Sous l'empire de la Pensée unique, mécroire est donc impensable. Mais alors, pourquoi le Système interdit-il de mécroire quand il sait la chose impossible et fait tout pour qu'elle le demeure ?... Il eut soudain une intuition, le plan était si clair : le Système ne veut pas que les gens croient ! Le but intime est là, car quand on croit à une idée on peut croire à une autre, son opposée par exemple, et en faire un cheval de bataille pour combattre la première illusion. Mais comme il est ridicule, impossible et dangereux d'interdire aux gens de croire à l'idée qu'on leur impose, la proposition est transformée en interdiction de mécroire, en d'autres termes le Grand Ordonnateur dit ceci : « Ne cherchez pas à croire, vous risquez de vous égarer dans une autre croyance, interdisez-vous seulement de douter, dites et répétez que ma vérité est unique et juste et ainsi vous l'aurez constamment à l'esprit, et n'oubliez pas que votre vie et vos biens m'appartiennent. »

Dans son infinie connaissance de l'artifice, le Système a tôt compris que c'était l'hypocrisie qui faisait le parfait croyant, pas la foi qui par sa nature oppressante traîne le doute dans son sillage, voire la révolte et la folie. Il a aussi compris que la vraie religion ne peut rien être d'autre que la bigoterie bien réglée, érigée en monopole et maintenue par la terreur omniprésente. « Le détail étant l'essentiel dans la pratique », tout a été codifié, de la naissance à la mort, du lever au coucher du soleil, la vie du parfait croyant est une suite ininterrompue de gestes et de paroles à répéter, elle ne lui laisse aucune latitude pour

rêver, hésiter, réfléchir, mécroire éventuellement, croire peut-être. Ati avait du mal à tirer
une conclusion : croire n'est pas croire mais
tromper ; ne pas croire est croire à l'idée opposée et donc se tromper soi-même et se trouver
à faire de son idée un dogme pour l'autre. Cela
était vrai dans la Pensée unique... l'était-ce
aussi dans le monde libre ? Ati recula devant la
difficulté, il ne connaissait pas le monde libre,
il ne pouvait simplement pas imaginer quel lien
pourrait exister entre dogme et liberté, ni qui de
l'un ou de l'autre serait le plus fort.

Quelque chose s'était cassé dans sa tête,
il ne voyait quoi. Il avait cependant la claire
conscience qu'il ne voulait plus être l'homme
qu'il avait été dans ce monde qui soudainement
lui paraissait si horriblement vilain et crasseux,
il désirait cette métamorphose qui s'amorçait
dans la douleur et la honte, dût-elle le tuer.
L'homme qu'il était, le croyant fidèle, se mou-
rait, il le comprenait bien, une autre vie nais-
sait en lui. Il la trouvait exaltante alors qu'à
la sanction violente elle était vouée, l'écrasement et la malédiction pour lui, la ruine et le
bannissement pour les siens, car, et ceci était
évident comme le jour, il n'avait aucune possibilité d'échapper à ce monde, il lui appartenait corps et âme, depuis toujours et jusqu'à la
fin des temps, quand il ne resterait rien de lui,
pas une poussière, pas un souvenir. Il ne pouvait pas même le nier en silence, il n'avait rien

négative pas/ne

54

indifferent to religion

à lui reprocher, au fond, rien à lui opposer, il
était ce qu'il était, conforme à sa nature. Et qui
pourrait le contester, lui occasionner un quelconque désagrément, et comment le lui porter ?
Rien ne l'atteignait, au contraire tout le renfor-
çait. Il est né ainsi, suprême et majestueusement
indifférent au monde et à l'humanité, comme le
voulaient la folie et la colossale ambition de ses
promoteurs. C'était l'explication, il était comme
Dieu, tout procède de lui et tout se résout en
lui, le bien et le mal, la vie et la mort. En fait,
rien n'existe, pas même Dieu, lui seul est.

L'Appareil allait le débusquer et l'effacer,
c'était l'évidence sûre et certaine, sans doute
bientôt, et peut-être la machine était-elle en
alerte depuis longtemps, depuis toujours, attendant le bon moment pour frapper, comme le
chat fait semblant de dormir quand la souris se
croit tirée d'affaire. Il était une cellule dans un
organe, une fourmi dans la fourmilière : un dys-
fonctionnement en un point est ressenti instan-
tanément dans l'ensemble du corps. Le mal qui
le tourmentait devait titiller le Système dans ses
profondeurs, quelque part des signaux inhabi-
tuels avaient été échangés, portés par l'instinct,
la vibration des cordes ou le flux mental des
V, démarrant automatiquement dans le centre
nerveux des processus de localisation de la per-
turbation, de vérification et d'analyse d'une infinie complexité qui enclencheraient à leur tour
d'autres mécanismes aussi complexes de correc-
tion, d'ajustement, le cas échéant de destruction,

v. long sentence
realisation

puis de réinitialisation et d'oubli pour conjurer de préjudiciables réminiscences et les remontées de nostalgie qui pourraient suivre, et le tout, jusqu'au plus infime quantum d'information, serait encodé et archivé dans une mémoire lente infaillible pour être mâché et remâché à l'infini, ainsi de la rumination sortiraient des règlements souverains et des enseignements pratiques qui iraient renforcer le dispositif et empêcher que l'avenir soit autre chose que la stricte réplique du passé.

Il est écrit dans le Livre d'Abi en son titre premier, chapitre 2, verset 12 :

« La Révélation est une, unique et universelle, elle n'appelle ni ajout ni révision et pas plus la foi, l'amour ou la critique. Seulement l'Acceptation et la Soumission. Yölah est tout-puissant, il punit sévèrement l'arrogant. »

Plus loin, dans le titre 42, chapitre 36, verset 351, Yölah se fait précis : *« L'arrogant subira les foudres de mon courroux, il sera énucléé, démembré, brûlé, et ses cendres seront dispersées dans le vent, et les siens, ascendants et rejetons, connaîtront une fin douloureuse, la mort même ne les protégera pas de ma vindicte. »*

L'esprit n'est au fond que de la mécanique, une machine aveugle et froide en raison même de son extraordinaire complexité qui lui impose de tout appréhender, tout contrôler et sans cesse accroître l'ingérence et la terreur. Entre la vie et la machine, il y a tout le mystère de la liberté, que l'homme ne peut atteindre sans mourir et que la machine transcende sans accéder à la conscience. Ati n'était pas libre et ne le serait jamais mais, fort seulement de ses doutes et de ses peurs, il se sentait plus vrai qu'Abi, plus grand que la Juste Fraternité et son tentaculaire Appareil, plus vivant que la masse inerte et houleuse des fidèles, il avait acquis la conscience de son état, la liberté était là, dans la perception que nous ne sommes pas libres mais que nous possédons le pouvoir de nous battre jusqu'à la mort pour l'être. Il lui paraissait évident que la vraie victoire est dans les combats perdus d'avance mais menés jusqu'au bout. En vertu de cela, il comprit que la mort qui le frapperait serait sienne et non celle de l'Appareil, elle découlerait de sa volonté, de sa révolte intérieure, elle ne serait jamais la sanction d'une déviation, d'un manquement aux lois du Système. L'Appareil peut le détruire, l'effacer, il pourrait le retourner, le reprogrammer et lui faire adorer la soumission jusqu'à la folie, il ne pourra lui enlever ce qu'il ne connaît pas, n'a jamais vu, jamais eu, n'a jamais reçu ni donné, que pourtant il hait par-dessus tout et traque sans fin : la liberté. Il le savait, comme l'homme sait que la mort est la fin de la vie – cette chose insaisissable par essence est son désaveu et sa fin, mais elle est aussi sa justification –, le Système n'ayant d'autre finalité que d'empêcher la liberté d'apparaître, d'enchaîner les hommes et de les tuer, son intérêt le commande mais c'est aussi la seule jouissance qu'il peut tirer de sa misérable existence. L'esclave qui se sait esclave sera toujours plus libre et plus grand que son maître, fût-il le roi du monde.

Ati mourrait ainsi, avec un rêve de liberté dans le cœur, il le voulait, c'était une nécessité, car il savait qu'il ne pourrait jamais avoir plus, et que vivre dans pareil système n'était pas vivre, c'était tourner à vide, pour rien, pour personne, et mourir comme se désagrègent les objets inanimés.

Son cœur battait si fort qu'il avait mal. Étrange sensation : plus la peur l'envahissait et lui tordait le ventre, plus il était fort. Il se sentait si brave. Quelque chose cristallisait au fond de son cœur, un petit grain de vrai courage, un diamant. Il découvrait, sans savoir comment le dire autrement que par un paradoxe, que la vie méritait qu'on meure pour elle, car sans elle nous sommes des morts qui n'ont jamais été que des morts. Avant de mourir, il voulait la vivre, cette vie qui émerge dans le noir, fût-ce le temps d'un éclair.

Il n'y a pas loin, il était de ceux qui réclamaient la mort pour quiconque manquait aux règles de la Juste Fraternité. Pour les fautes graves, il rejoignait les durs qui exigeaient des exécutions spectaculaires, estimant que le peuple avait droit à ces moments d'intense communion, par le sang fumant giclant à flots et la terreur purificatrice qui explosait comme un volcan. Sa foi s'en trouverait renforcée, renouvelée. Ce n'est pas la cruauté qui l'inspirait, ni aucun vil sentiment, il croyait simplement qu'à Yölah l'homme devait offrir le meilleur, dans la haine de l'ennemi comme dans l'amour des siens, dans la récompense du bien comme dans la sanction du mal, dans la sagesse autant que dans la folie. Dieu est ardent, vivre pour lui est exaltant.

Mais tout cela, il s'en convainquait à vue d'œil, c'étaient des mots qui avaient pu être gravés dans sa mémoire à la naissance, des automatismes à retardement insérés dans ses gènes et constamment perfectionnés au fil des âges. Et, tout à coup, il eut la révélation de la réalité profonde du conditionnement qui faisait de lui, et de chacun, une machine bornée et fière de l'être, un croyant heureux de sa cécité, un zombie confit dans la soumission et l'obséquiosité, qui vivait pour rien, par simple obligation, par devoir inutile, un être mesquin capable de tuer l'humanité entière sur un claquement de doigts. La révélation l'illumina, lui faisant apparaître l'être sournois qui le dominait de l'intérieur et contre lequel il voulait se révolter... et ne le voulait pas vraiment. La contradiction était flagrante, et indispensable, elle était le cœur même du conditionnement! Le croyant doit continûment être maintenu en ce point où la soumission et la révolte sont dans un rapport amoureux : la soumission est infiniment plus délicieuse lorsqu'on se reconnaît la possibilité de se libérer, mais c'est aussi pour cette raison que la mutinerie est impossible, il y a trop à perdre, la vie et le ciel, et rien à gagner, la liberté dans le désert ou dans la tombe est une autre prison. Sans cette connivence, la soumission serait un état vague qui ne permet pas d'éveiller la conscience du croyant à son absolue insignifiance, encore moins à la munificence, la toute-puissance et l'infinie compassion de son souverain. La soumission engendre la révolte et la révolte se résout dans la soumission : il faut cela, ce couple indissoluble, pour que la conscience de soi existe. Telle est la voie, on ne connaît le bien que si on sait le mal, et inversement, en vertu de ce principe qui veut que la vie n'existe et ne se meuve que dans et par l'opposition de forces antagoniques. En chacun a été logé un esprit étrange et retors, il pense la vie, le bien, la paix, la vérité, la fraternité, la douce et rassurante pérennité, et les pare de toutes les vertus, mais ne les recherche, et avec quelle passion, qu'à travers la mort, la destruction, le mensonge, la ruse, la domination, la perversion, l'agression brutale et injuste. Et ainsi la contradiction disparaît dans la confusion, le tiraillement entre le bien et le mal cesse, étant deux modalités d'une même réalité, comme l'action et la réaction font un, à égalité, pour assurer l'unité et l'équilibre. Supprimer l'un supprime l'autre. Dans le monde d'Abi le bien et le mal ne s'opposent pas, ils se confondent puisqu'il n'y a pas de vie pour les reconnaître, les nommer et construire la dualité, ils sont une seule et même réalité, celle de la non-vie, ou de la morte-vie. La croyance est tout entière là, la question du bien et du mal sous l'angle moral est une question subalterne et vaine, définitivement évacuée, le bien et le mal ne sont que des piliers sans signification propre de la stabilité. La vraie sainte religion, l'Acceptation, le *Gkabul*, consiste en ceci et seulement ceci : proclamer qu'il n'y a de dieu que Yölah, et qu'Abi est son Délégué. Le reste appartient à la loi et à son tribunal, ils feront de l'homme un croyant soumis et diligent et des foules des cohortes infatigables, ils feront ce qu'on leur demandera, avec les moyens qu'on mettra entre leurs mains, et tous clameront « Yölah est grand et Abi est son Délégué ! »

Plus on diminue les hommes, plus ils se voient grands et forts. C'est à l'heure du trépas qu'ils découvrent, hébétés, que la vie ne leur doit rien car ils ne lui ont rien donné.

Qu'importe leur avis, vampirisés qu'ils sont par un système dont ils sont les défenseurs et les victimes. Prédateurs et proies inséparables dans l'absurde et la folie. Personne ne leur dira que dans l'équation de la vie le bien et le mal ont été intervertis et qu'au final le bien a été remplacé par un moindre mal, elle ne leur laisse pas d'autre chemin, étant établi que la société humaine ne peut se gouverner que par le mal, un mal toujours plus grand, afin que rien, jamais, de l'extérieur ou de l'intérieur, ne vienne la menacer. Et ainsi le mal qui s'oppose au mal devient le bien, et le bien est l'expédient parfait pour porter le mal et le justifier.

« Le Bien et le Mal sont miens, il ne vous est pas donné de les distinguer, j'envoie l'un et l'autre pour vous tracer la route de la vérité et du bonheur. Malheur à qui manque à mon appel. Je suis Yölah le tout-puissant », est-il écrit dans le Livre d'Abi en son titre 5, chapitre 36, verset 97.

Il aurait voulu parler de son trouble à quelqu'un. Mettre ses pensées en mots et les dire, entendre des moqueries, des critiques, peut-être des encouragements lui parut nécessaire à cette étape où la perdition était déjà fort avancée. Plus d'une fois il fut tenté d'engager la conversation avec un malade, un infirmier, un pèlerin, mais il se retenait sur le fil, il serait traité de fou, accusé de blasphème. Un mot, et le monde s'écroule. Les V allaient accourir, les mauvaises pensées étaient du nectar pour eux. Il savait comme les gens étaient entraînés à dénoncer, lui-même s'y appliquait avec ferveur dans son travail, son quartier, contre ses voisins et ses amis les plus sûrs. Il était bien noté et plus d'une fois il fut applaudi dans les Joré, les Journées de la Récompense, et cité dans *Le Héros,* la réputée et très honorable gazette des CJB, les Croyants justiciers bénévoles.

Au fil des jours et des mois, il perdit pied avec des notions familières, elles prenaient des résonances autres. Hors le carcan social et la machine policière qui maintiennent les croyances sur les rails, tout se délite, le bien, le mal, le vrai, le faux n'ont plus de frontières, pas celles qu'on leur connaissait – d'autres apparaissent en filigrane. Tout est flou, tout est lointain et dangereux. On se perd à mesure qu'on se cherche.

L'isolement du sanatorium rendait tout difficile, les misères s'additionnaient, l'endoctrinement se relâchait. Il y avait toujours une raison pour empêcher que les cours se déroulent, de même que les séances bienfaisantes de scansion et les prières si reposantes jusqu'à la sacro-sainte Imploration du Jeudi : c'était les malades qui manquaient à l'appel, c'était une avalanche ou un glissement de terrain qui avait fermé la route, la crue qui avait emporté une passerelle, la foudre qui avait sectionné un hauban, c'était le maître d'école qui était tombé dans le ravin en rentrant de la ville, c'était le directeur qui s'y était rendu, requis en haut lieu, c'était le répétiteur qui avait perdu la voix, le concierge qui ne trouvait pas son trousseau de clés, c'était la faim, c'était la soif, une épidémie, une pénurie, une hécatombe, mille choses futiles et souveraines. Loin de tout, rien ne fonctionne, les calamités ont le champ libre. Livré à soi-même, inactif comme une pierre, cerné par le manque, on est de trop, on encombre, on se retrouve entre malades, minables et honteux, à se regarder mourir, raconter ses douleurs, errer d'un mur à l'autre, et la nuit, dans son lit glacé, perdu dans le noir comme un radeau dans l'océan, on remue des souvenirs heureux pour se réchauffer, toujours les mêmes, qui prennent des significations obsédantes. On dirait qu'ils veulent annoncer quelque chose, ils vont, reviennent, se bousculent. Parfois, durant un court moment que l'on tente de prolonger en repassant le film, en ajoutant des péripéties et des couleurs, on sent qu'on revient de loin, qu'on existe d'une certaine manière, que quelqu'un dans l'éther veut nous parler, nous écouter, nous offrir son aide, une âme compatissante, un ami disparu, un confident. Il y a donc des choses dans cette vie qui nous appartiennent, non comme un bien vénal mais comme une vérité, un réconfort. S'abandonner dans la confiance est un bonheur.

Peu à peu, un monde inconnu apparaît dans lequel ont cours des mots étranges, jamais entendus, entrevus peut-être, telles des ombres qui passent dans la cohue des rumeurs. Un mot le fascinait, il ouvrait la porte d'un univers de beauté et d'inépuisable amour, dans lequel l'homme était un dieu qui de ses pensées faisait des miracles. C'était fou, il en tremblait, la chose ne paraissait pas seulement possible, elle disait qu'elle seule était réelle.

Une nuit, il s'entendit murmurer sous la couverture. Les sons sortaient d'eux-mêmes, comme forçant le passage entre ses lèvres pincées. Il résista, tenaillé par la peur, puis se relâcha et tendit l'oreille à ses mots. Une décharge électrique le traversa. La respiration lui manquait, il s'entendait répéter ce mot qui le fascinait, qu'il n'avait jamais utilisé, qu'il ne connaissait pas, il en hoquetait les syllabes : « Li... ber... té... li... ber... té... li-ber-té... li-ber-té... liberté... liberté... » L'a-t-il un moment hurlé ? Les malades l'ont-ils entendu ?... Comment savoir ? C'était un cri intérieur...

Le râle caverneux de la montagne qui le terrorisait depuis son arrivée au sanatorium cessa d'un coup. Débarrassé de la peur, le vent se fit léger, il sentait bon l'air de la montagne, âcre et euphorique. Une mélodie guillerette qui montait des gorges profondes vers les cimes. Il l'écoutait avec délectation.

Cette nuit-là, Ati ne ferma pas l'œil. Il était heureux. Il pouvait dormir et rêver, le bonheur l'avait épuisé, mais il préférait rester éveillé et laisser courir son imagination. C'était un bonheur sans lendemain, il fallait en profiter. Il s'exhortait aussi au calme, à redescendre sur terre, à faire des calculs, à se préparer mentalement, car bientôt il quitterait l'hôpital et rentrerait chez lui, il retrouverait son chez-soi... son pays, l'Abistan, dont il découvrait qu'il ne savait rien, qu'il devrait vite connaître pour se donner une chance de se sauver.

Il s'écoulerait encore deux mois pesants comme une tombe avant que l'infirmier de quart vienne lui dire que le docteur avait signé son bon de sortie. Il lui montra son dossier médical. Il contenait deux feuilles chiffonnées, le formulaire d'entrée et le billet de sortie sur lequel une plume nerveuse avait ajouté : « À surveiller. »

Ati se sentit mal. Les V l'auraient-ils entendu dans ses rêves ?

→ Freedom of thought / expression
not inline with state of surveillance

C'est le cœur serré qu'Ati a quitté le sanatorium, un beau matin du mois d'avril. Le froid
était encore mortel mais il y avait dans ses
replis un peu de la chaleur de l'été venant, un
infime soupçon, c'était assez pour donner envie
de recommencer à vivre et de courir à perdre
haleine.

La nuit était encore profonde mais la caravane était prête. Il ne manquait rien, peut-être
un ordre. Son petit monde était au complet au
pied de la forteresse, attendant patiemment, les
ânes dans leur position préférée, deux par deux,
tête-bêche, déjeunant d'une graminée de montagne rachitique, les porteurs acagnardés sous
l'appentis mâchouillant de l'herbe magique, les
gardes sirotant du thé brûlant en trifouillant la
culasse avec une alacrité toute militaire, et à
l'écart, dignement emmitouflés dans leur pelisse
polaire autour d'un brasero ardent, le commissaire de la foi et ses servants (parmi eux, invisible et préoccupant, un V dont l'esprit balayait

télépathiquement les environs) qui se concertaient en égrenant leurs chapelets de voyage. Entre deux basses considérations, ils priaient bruyamment Yölah, et en leur for intérieur Jabil, l'esprit de la montagne. Dans la montagne, la descente n'est pas facile, elle est plus dangereuse que l'ascension, la gravité aidant on succombe facilement à la tentation de la précipitation. Les vieux routiers, sibyllins en diable, ne cessent de le dire aux novices, courir dans le sens de la chute est un penchant très humain.

Les passagers de la caravane se tenaient plus loin, sous un auvent affaissé, penauds et tremblants comme s'ils partaient injustement à la mort. On ne voyait d'eux que le blanc des yeux. Leur souffle court disait qu'ils n'en menaient pas large. C'étaient des malades tirés d'affaire, qui rentraient chez eux, et des agents de l'administration venus pour une histoire de papiers qui ne pouvait pas attendre la belle saison. Parmi eux, Ati, enveloppé de plusieurs *burnis* imperméabilisés par la crasse, s'appuyant sur un bourdon noueux, portant un baluchon contenant son fourniment, une liquette, une timbale, une écuelle, ses pilules, son manuel de prières et ses talismans. Ils attendaient en piétinant le sol et en se battant les flancs. La lumière étincelante de ce ciel immense qui s'embrasait à l'horizon leur brûlait la rétine, leurs paupières étaient lourdes, ils s'étaient faits à la vie crépusculaire et lente du sanatorium. Tout en eux, le geste, la respiration, la vision, s'était révisé à la baisse pour leur permettre de vivre cette impossible ascèse, accrochés dans le vide à plus de quatre mille *siccas* d'altitude.

Il regretterait son enfer glacé, il lui devait de l'avoir guéri et mis face à une réalité dont il ne pensait pas qu'elle existât, bien qu'elle fût celle de son monde et qu'il n'en connût pas d'autre. Il est des musiques que l'on n'entend que dans la solitude, hors de l'enceinte sociale et de la surveillance policière.

Il appréhendait de rentrer chez lui en même temps qu'il s'impatientait. C'est parmi les siens et contre eux qu'il faut se battre, c'est là, dans le va-et-vient des jours et le fouillis des non-dits, que la vie perd le sens des choses profondes et se réfugie dans le superficiel et le faux-semblant. Le sanatorium lui avait rendu la vigueur et ouvert les yeux sur cette réalité impensable qu'il y avait un autre pays dans leur monde et qu'une frontière introuvable, et par là infranchissable et mortelle, les séparait. Quel peut être ce monde où l'ignorance atteint un point tel que l'on ne sait pas qui habite sa propre maison, au fond du couloir?

C'était amusant de se poser la question qui rend fou: un homme continue-t-il d'exister si du monde réel on le projette dans un monde virtuel? Si oui, peut-il mourir? De quoi? Pas de temps dans le virtuel, donc pas d'ennui, pas de vieillesse, pas de maladie, pas de mort. Avec quoi pourrait-il se suicider? Deviendrait-il virtuel comme son nouveau monde? Garderait-il la mémoire de l'autre monde, la vie, la mort, les gens qui vont et viennent, les jours qui passent? Un monde qui donne ces sensations est-il virtuel?...

Mais assez de cela, les hypothèses, les jeux d'esprit, il les a repassés mille fois dans sa tête sans qu'il en sorte rien, sinon des peurs et des migraines. Et des colères et des insomnies. Et des hontes et des regrets lancinants. Ce qu'il est urgent de faire est de partir à la recherche de ces frontières et de les traverser. De l'autre côté, nous verrons ce qu'elles interdisaient au moyen d'une si longue et si parfaite machination et nous saurons, avec effroi ou bonheur, qui nous sommes et quel monde était le nôtre.

Il se disait cela un peu aussi pour passer le temps, l'attente est source d'angoisse et de questionnements.

Soudain, venant de partout et de nulle part, d'une vallée lointaine, un son ample, puissant, plein de rondeur et d'harmonie est monté à l'assaut de la montagne jusqu'au sanatorium : un chant magnifique et envoûtant dont les échos s'enlaçaient en ondoyant pour s'éloigner d'une étrange manière, triste et poétique. Ati aimait l'entendre et le suivre dans son langoureux cheminement vers l'extinction dans un silence sidéral. Que le chant du cor de montagne est beau!

L'avant-garde, partie du sanatorium aux premières lueurs, avait atteint les contreforts, la première halte, un poste multiservices, bric-à-brac entre bazar de désert, antre de chaman et bureau administratif polyvalent, niché tout en bas, à plus de vingt *chabirs* à vol d'oiseau. Seul le cor de montagne avait assez de souffle pour porter aussi loin. En l'occurrence, il disait que la route était libre et praticable. C'était le signal attendu.

La caravane pouvait s'ébranler.

Toutes les heures, les cors des contreforts suivants sonneraient pour marquer le temps et baliser la route, et la corne de brume de la caravane leur répondrait que le temps, selon la volonté de Yölah, va à son rythme qui ne saurait toutefois excéder la résistance des passagers, des convalescents dépourvus de force et de pratique montagnarde et de pauvres fonctionnaires rouillés de la tête aux pieds.

Grand moment d'émotion au sanatorium. Massés sur les terrasses, les mâchicoulis et les chemins de ronde des remparts, les malades regardaient la caravane s'éloigner dans les vapeurs aurorales. Ils saluaient de la main et priaient autant pour les courageux voyageurs que pour eux-mêmes restés prisonniers de leur épuisante maladie. Livides comme ils étaient, roulés dans leurs *burnis* écrus effilochés et rapiécés, entourés d'un halo clair-obscur, ils donnaient l'impression d'une assemblée de fantômes venus saluer la fin de quelque chose d'incompréhensible.

Au tournant de la piste, en surplomb d'un ravin à pic, Ati se retourna pour un dernier regard sur la forteresse. Vue de bas en haut, coiffée d'un ciel vaporeux vibrant de lumière, elle était impressionnante de puissance hiératique, terrifiante même. Elle avait une longue histoire derrière elle, on ne la savait pas mais on la sentait. Elle semble avoir toujours été là, elle a connu bien des mondes et quantité de peuples et les a vus disparaître les uns après les autres. De ces temps, presque rien n'est resté, une atmosphère spectrale chargée de mystères et de murmures, une certaine vanité des choses sous-jacente, et quelques signes gravés dans la pierre, des croix, des étoiles, des croissants de lune, grossièrement tracés ou finement stylisés, ici et là des phylactères portant des gribouillis tout en accents gothiques, et ailleurs des dessins défigurés. Ils devaient signifier quelque chose, on ne les aurait pas sculptés pour rien, un soin a forcément un sens, on n'aurait pas cherché à les effacer s'ils n'avaient pas une signification forte. Au cours de la Grande Guerre sainte, la forteresse s'est trouvée sur une ligne de front qui courait le long de la chaîne de l'Ouâ et a été enrôlée, sa valeur stratégique en faisait un objectif irrésistible, elle fut une place forte aux mains de l'Ennemi puis du peuple des croyants... ou l'inverse ; bref, elle changea de mains plus d'une fois. Toujours est-il qu'à la fin elle fut bravement et définitivement conquise par les soldats d'Abi, ainsi que l'exigeait Yölah. Une certaine légende dit qu'alentour il y avait assez de cadavres pour combler toutes les gorges de l'Ouâ et traverser à sec. C'est possible après tout, les chiffres énoncés sont astronomiques, les armes utilisées dépassaient en puissance la force du soleil et les batailles se sont étalées sur des décennies – on ne sait plus combien. Le prodige est que la forteresse soit sortie indemne de l'anéantissement général. Si la moitié des récits qui courent sont véridiques, cela voudrait dire que partout où nous posons le pied dans ce pays nous marchons sur des cadavres. C'est décourageant, on ne peut s'empêcher de penser que la prochaine fois que la terre sera retournée ce sera pour nous.

Après la guerre qui a tout détruit et transformé radicalement l'histoire du monde, la misère a jeté des centaines de millions de malheureux sur les routes à travers les soixante provinces de l'empire, des tribus hagardes, des familles égarées ou ce qu'il en restait, des veuves, des orphelins, des handicapés, des fous, des lépreux, des pestiférés, des gazés, des irradiés. Qui pouvait les aider ? L'enfer était partout. Les bandits de grand chemin pullulèrent, ils formaient des armées et écumaient ce qui subsistait de ce pauvre monde. Longtemps la forteresse a servi de refuge aux errants qui avaient la force et le courage d'affronter les murailles de l'Ouâ. C'était un peu la cour des Miracles, on venait de loin chercher asile et justice, on trouvait le vice et la mort. On peut le dire, il n'y a jamais eu pire monde que celui-là.

Avec le temps, les choses sont rentrées dans l'ordre. Les brigands furent arrêtés et exécutés selon la coutume de chaque région, les machines de mort fonctionnaient jour et nuit, on trouva mille façons de les perfectionner, mais même des journées de trente-six heures n'auraient pas suffi à assurer le service quotidien.

Les veuves et les orphelins furent casés ici et là et on leur attribua des petits métiers. Les malades et les handicapés continuèrent de mendier au gré des vents, faute de soins ils moururent par millions. C'est pour faire disparaître ces cadavres qui empuantissaient les villes et les campagnes et étaient cause de tant de maladies que se créa la mystérieuse et très efficace guilde des ramasseurs de morts. On fit des lois pour organiser l'activité et la Juste Fraternité promulgua un édit religieux qui attribuait valeur sacramentelle à ce qui était avant tout une affaire d'hygiène publique et d'intérêt corporatiste. Vidée, nettoyée, réparée, la forteresse fut transformée en sanatorium, on y relégua les tuberculeux. Par on ne sait plus quel détour, on s'était persuadé qu'ils étaient la cause de tous les malheurs de l'humanité. On se mobilisa contre eux, on les chassa des villes, puis des campagnes qu'il fallait remettre au labour. La superstition a disparu avec le dégel mais la pratique est restée, on y relègue toujours les poitrinaires.

Entre malades et pèlerins, Ati apprit beaucoup. Ils arrivaient des quatre coins du vaste empire. Apprendre d'eux le nom de leur ville, un peu de leurs coutumes et de leur histoire, entendre leur accent et les voir vivre au jour le jour était une surprise pour lui, un formidable enseignement. La forteresse offrait une vision globale du peuple des croyants dans son infinie diversité, chaque groupe avec sa couleur et des manières à lui, qu'on ne voyait pas chez les autres. Ils avaient de même leur langue qu'ils parlaient entre eux, en sourdine, loin des oreilles exotiques, avec un tel appétit qu'on se voyait pris de l'envie de connaître l'affaire. Mais les conciliabules cessaient aussitôt, les aliens étaient prudents. Lorsqu'il reprit quelques forces, Ati courut de chambrée en chambrée et s'en mit plein la vue, les oreilles, le nez aussi, car ces gens avaient des odeurs, elles étaient typiques, on pouvait suivre chacun à l'odorat. Ils se reconnaissaient aussi à l'accent, à la dégaine, au regard, que sais-je, et avant d'échanger trois signes les voilà dans les bras l'un de l'autre, sanglotant d'émotion. C'était émouvant de les voir se chercher comme dans un marché bondé, se regrouper dans un coin ombreux et baragouiner leur patois tout leur soûl. Que pouvaient-ils se dire à longueur de journée? Des paroles, pas plus, mais ça leur remontait le moral. C'était magnifique mais plus que fautif, la loi imposait de s'exprimer exclusivement en *abilang*, la langue sacrée enseignée par Yölah à Abi afin d'unir les croyants dans une nation, les autres langues, fruits de la contingence, étaient

↗ division/exclusions measures

oiseuses, elles séparaient les hommes, les enfermaient dans le particulier, corrompaient leur âme par l'invention et la menterie. La bouche qui prononce le nom de Yölah ne peut être souillée par des langues bâtardes qui exhalent l'haleine fétide de Balis.

Il n'y avait jamais pensé mais si on lui avait posé la question il aurait répondu que les Abistani se ressemblaient tous, qu'ils étaient comme lui, comme les gens de son quartier à Qodsabad, les seuls êtres humains qu'il ait jamais vus. Or voilà qu'ils étaient infiniment pluriels et si différents qu'au bout du compte chacun était un monde en soi, unique, insondable, ce qui d'une certaine façon révoquait la notion de peuple, unique et vaillant, fait de frères et de sœurs jumeaux. Le peuple serait donc une théorie, une de plus, contraire au principe d'humanité, tout entière cristallisée dans l'individu, en chaque individu. C'était passionnant et troublant. C'est quoi alors un peuple?

La forteresse disparut dans la brume, derrière le rideau de ses larmes. C'était la dernière fois qu'Ati la voyait. Il en garderait un souvenir mystique. C'est en son sein qu'il avait découvert qu'il vivait dans un monde mort et c'était là, au cœur du drame, au fond de la solitude, qu'il avait eu la vision bouleversante d'un autre monde, définitivement inaccessible.

Le voyage de retour dura une année ou presque.
Il se fit de chariots en camions, de camions en
trains (dans les régions où le chemin de fer avait
résisté à la guerre et à la rouille), et de trains
en chariots là où la civilisation avait de nouveau
disparu. Et parfois à pied, ou à dos de mulet, à
travers montagnes abruptes et forêts sauvages.
La caravane se livrait alors à la chance et à ses
guides et avançait en s'accrochant où elle pouvait.

Au final, la troupe avait parcouru pas moins
de six mille *chabirs*, entrecoupés de haltes interminables, passées à se ronger les sangs dans
un endroit ou un autre, des camps de regroupement, des centres de dispatching, où des
foules immenses se croisaient et se recroisaient,
s'égaraient et se retrouvaient, se formaient et
se déformaient dans la confusion, puis s'installaient dans l'apathie pour affronter sagement le
temps. Les caravaniers attendaient des ordres
qui ne venaient pas, les camions attendaient

des pièces de rechange introuvables, les trains attendaient que la voie soit rétablie et la loco ranimée. Et quand tout était fin prêt, se posait la question des machinistes et des guides, il fallait rapidement se lancer à leur recherche puis patienter. Plus tard, après x avis de recherche et des retrouvailles merveilleuses, on saurait qu'ils étaient occupés ailleurs. On entendrait de tout, des refrains connus et des nouveautés : ils étaient partis enterrer quelqu'un, rendre visite à des amis souffrants, ils avaient des problèmes à résoudre, des cérémonies à accomplir, des sacrifices à rattraper, mais le plus souvent, et c'était le péché mignon des Abistani, opportunistes en diable, ils couraient les volontariats pour amasser des bons points en vue de la prochaine Joré, la Journée de la Récompense, prêtant la main à qui voulait, ici pour relever la tour d'une *mockba*, là pour creuser des tombes ou un puits, repeindre une *midra*, vérifier des listes de pèlerins, seconder des secouristes, participer à des recherches de personnes disparues, etc. La B.A. est sanctionnée par une attestation sur papier libre à faire valoir auprès du bureau de la Joré de son quartier, il n'y a pas de triche, on dépose sous serment. Il ne restait à ce stade qu'à trouver le haut responsable qui délivrerait le bon de sortie du camp. Ce temps perdu ne se rattrapait évidemment pas, la piste ne le permettait pas, elle était un autre calvaire qui atteignait des sommets à la saison des pluies.

C'est tout cela qui prit une année. Avec un

camion solide, des pistes en bon état de bout en bout, une météo favorable, des guides sérieux et une totale liberté de manœuvre, six mille *chabirs* s'avaleraient en un rien de temps, un petit mois.

Comme tout un chacun, sauf les pèlerins et les caravaniers qui en savaient un peu plus long, Ati n'avait aucune idée de ce qu'était le pays. Il l'imaginait immense, mais que veut dire immense si on ne voit pas de ses yeux, si on ne touche pas de ses mains ? Et que sont les limites si on ne les atteint jamais ? Le mot « limite » lui-même interpelle : qu'y a-t-il après la limite ? Seuls les Honorables, les grands maîtres de la Juste Fraternité et les chefs de l'Appareil savaient ces choses et tout le reste, ils les définissaient, les contrôlaient. Pour eux, le monde était petit, ils le tenaient dans la main, ils avaient des avions et des hélicoptères pour courir dans le ciel, et des vedettes rapides pour sillonner les mers et les océans. On les voyait passer, on les entendait rugir, mais eux on ne les voyait pas, ils n'approchaient jamais le peuple, ils s'adressaient à lui à travers les *nadirs*, les écrans muraux présents en tous points du pays, toujours par le truchement de présentateurs emphatiques que les petites gens appelaient « perroquets », ou par la voix très écoutée des *mockbis* qui en leurs *mockbas* confessaient les fidèles neuf fois par jour, et sûrement (mais personne ne savait comment) par le canal des V, ces êtres mystérieux, jadis appelés djinns, qui maîtrisaient la télépathie, l'invisibilité et l'ubiquité. On disait que les maîtres possédaient également, mais personne ne les avait vus de ses yeux, des sous-marins et des forteresses volantes mus par une énergie mystérieuse qui sondaient sans fin les profondeurs des mers et des cieux.

Plus tard, Ati apprendrait que d'un bout à l'autre de l'Abistan, par la ligne diagonale, il y avait la distance fabuleuse de cinquante mille *chabirs*. Il eut le vertige. Combien de vies faut-il vivre pour franchir de telles distances ?

Quand il fut décidé de l'envoyer au sanatorium, Ati était en état de semi-inconscience. Il n'avait rien vu dans sa traversée du pays, des fragments de paysage entre deux éblouissements, deux comas. Il se souvenait que le voyage lui avait paru infiniment long et que les crises s'étaient faites de plus en plus fréquentes et douloureuses, elles le vidaient de son sang et bien des fois il avait appelé la mort à son secours. C'était un péché, mais il se disait que Yölah saurait pardonner à ceux qui souffraient le martyre.

Ces voyages n'avaient rien de luxueux, le quotidien du nomade se passait à désensabler, déblayer, colmater, pousser, haler, scier, étayer, combler, démonter, charger et décharger des marchandises. Il y mettait de l'entrain en s'aidant de la voix. Entre deux corvées, on s'adonnait à l'exercice de la religion. Le reste du temps, pendant que le paysage défilait dans la monotonie, on comptait les heures.

Une chose le tracassait, mais à la longue elle s'imposa à lui comme une réalité hallucinante : le pays était vide. Pas âme qui vive, ni mouvement, ni bruissement, seulement le vent qui balayait les routes et la pluie qui les lessivait et parfois emportait tout. Le convoi s'enfonçait littéralement dans le néant, une sorte de brouillard gris-noir traversé de loin en loin par des stries lumineuses fulgurantes. Un jour, entre deux bâillements, Ati se fit la réflexion qu'à l'aube de la création il devait en être ainsi, le monde n'existait pas, ni en contenant ni en contenu, le vide habitait le vide. Ati en conçut un sentiment inquiétant et émouvant, il avait l'impression que ces temps originels étaient revenus et que tout était alors également possible, le meilleur et le pire, il suffisait de dire « Je veux » pour qu'un monde émerge du néant et s'ordonne selon son vœu. Il eut envie de l'exprimer mais se retint, non qu'il crût que son désir serait entendu mais parce qu'il sentait que lui-même était dans cette indétermination première, et que le prononcé du vœu pourrait bien agir sur lui en premier et le transformer en… crapaud, peut-être, les premières créatures apparues sur terre étaient ces bêtes-là, visqueuses et pustuleuses, nées d'un vœu raté d'un dieu inexpérimenté… Il ne faut jamais tenter la vie, ou la brusquer, elle est capable de tout.

À deux, trois reprises, ils aperçurent à l'horizon des convois militaires avançant dans un

mouvement d'une raideur tout hiératique, mécanique mais plus que cela, têtue et résolue comme
cette force invincible qui commande aux grands
troupeaux de la savane de se mettre en branle
et d'entreprendre leur migration vers la vie ou la
mort, qu'importe, seuls comptent la marche en
avant et le rendez-vous. Tout cela donnait l'impression d'une expédition mystérieuse venue
d'un autre monde. La caravane de camions lourdement chargés de canons et de lance-missiles
tirait dans son sillage de poussière une interminable légion de soldats lourdement harnachés.
Ati n'en avait jamais vu tellement plus que n'en
porte un camion patrouillant en ville, une dou-
zaine, appuyés de miliciens d'occasion, eux en
nombre indéterminé, houleux et infatigables
comme tout, armés de machettes, de verges, de
nerfs de bœuf, cela lors des grandes cérémonies
dans les stades, pour des exécutions de masse
ou des offices religieux appelant à la Guerre
sainte durant lesquels l'exaltation atteignait la
transe, et là ils étaient plus nombreux que fourmis au pic de l'été. Allaient-ils à la guerre, en
revenaient-ils ? Quelle guerre ? Une nouvelle
Grande Guerre sainte ? Contre qui, sur terre il
n'y avait que l'Abistan ?

Et de la guerre, il se convainquit de sa réalité
un jour qu'ils virent dans le lointain un convoi
militaire qui tractait une colonne sans fin de
prisonniers, des milliers, enchaînés par trois. À
cette distance, il était impossible de distinguer

les détails qui auraient permis de leur prêter une identité, mais laquelle? Des vieux, des jeunes, des bandits, des mécréants? Il y avait des femmes parmi eux, c'était sûr, on le voyait à certains signes, les ombres étaient habillées de bleu, la couleur du *burniqab* des prisonnières, et elles suivaient, à la distance de quarante pas prescrite par les Saintes Écritures, afin que les hommes de la troupe et de la chiourme ne puissent les voir ni recevoir à plein nez leurs odeurs fauves auxquelles la peur et la sueur ajoutaient une aigreur insupportable.

Ils croisèrent de même des pèlerins en files aussi impressionnantes, cheminant pesamment, scandant des versets du Livre d'Abi, ainsi que des slogans de marcheurs : « Pèlerin je suis, pèlerin je vais, hé ho, hé ho! », « Sur terre nous marchons, au ciel nous volons et va la vie! », « Encore un *chabir*, encore mille *chabirs*, pas de quoi pâlir, honte aux fakirs! », etc., et toujours la formule qui ponctue chaque phrase, chaque geste de la vie du croyant : « Yölah est grand et Abi est son Délégué! » Leurs chants emphatiques résonnaient, ajoutant des échos bouleversants au silence qui étreignait le monde.

De loin en loin, des villages, des hameaux invisibles contre lesquels ils manquèrent de buter. Il sautait aux yeux que la vie ne les avait jamais vraiment fréquentés, il y avait de l'absence dans l'air et beaucoup de parcimonie. À ce niveau de discrétion, rien ne différencie un village d'un cimetière. Des vaches pâturaient dans les alentours mais on ne leur voyait aucun berger ; avaient-elles des maîtres ? Dans leur regard enfantin il y avait cette peur grise et fade qui vient du vide, de la solitude, de l'ennui, de la trop grande pauvreté. À la vue de la caravane, leurs yeux avaient roulé dans tous les sens. Ce soir-là, elles donneraient du lait tourné.

Mais il n'est pas de voyage sans fin. Celle-ci fut longue à venir. Qodsabad n'était plus loin, trois jours à vol d'oiseau. À l'approche du but, les caravanes marquaient le pas : une habitude ancienne, on envoyait des éclaireurs reconnaître les lieux et une ambassade négocier un accueil amical, on profitait de cette attente pour récupérer des fatigues du voyage car une entrée massive en ville amie déclenchait d'épuisantes effusions, des fêtes en série, des veillées continues. Il importait de faire bonne figure et de rester vigilant. La question se pose en effet lorsqu'on rentre chez soi : reconnaîtrons-nous les nôtres, nous reconnaîtront-ils, après si longtemps ?

Un quelque chose dans l'air disait qu'une grande ville approchait, le paysage perdait à vue d'œil son aspect sauvage et souverain, il prenait les couleurs de l'abandon, de l'épuisement et les odeurs des choses qui pourrissent au soleil, il y avait à l'œuvre comme une force mauvaise et aveugle qui corrompait tout autour elle, la vie, la terre, les gens, et les rejetait très abîmés. Il n'y avait pas d'explication, la déchéance existait par elle-même, se nourrissant de ses restes et les vomissant pour s'en repaître derechef, et encore la première ceinture des banlieues était-elle loin devant, plusieurs dizaines de *chabirs*, la misère y était pantagruélique. Ati s'en souvenait mal mais dans son quartier à Qodsabad l'air n'était pas meilleur, il était pourtant respirable car on est toujours mieux chez soi que chez le voisin.

La caravane dans laquelle Ati avait été embarqué dans le dernier centre de dispatching comptait des fonctionnaires de retour de mission, des intendants de diverses sortes, des étudiants cintrés dans leurs *burnis* scolaires, longues robes noires s'arrêtant à six doigts de la cheville, qui rejoignaient la capitale pour se perfectionner dans certaines branches très fines de la religion, et il y avait aussi, un peu à l'écart comme il seyait à la noblesse, une brochette de théologiens et de *mockbis* qui rentraient d'une retraite spirituelle sur Abirat, la montagne sacrée où Abi aimait à s'isoler quand il était enfant et où, déjà, il avait eu ses premières visions.

Parmi eux était Nas, un fonctionnaire, pas plus âgé qu'Ati mais en pleine forme, qui revenait tout hâlé d'une fouille sur un site archéologique encore secret, appelé à devenir un jour un lieu de pèlerinage fameux. Il restait à peaufiner l'histoire : Nas était chargé de rassembler les éléments techniques qui permettraient aux théoriciens du ministère des Archives, des Livres sacrés et des Mémoires saintes de la mettre au point, de la scénariser et de l'articuler à l'histoire générale de l'Abistan. L'affaire était réellement miraculeuse, on avait découvert un village antique parfaitement intact. Comment avait-il échappé à la Grande Guerre sainte et aux ravages qui avaient suivi? Comment ne l'avait-on pas découvert avant? Chose impensable, cela voulait dire que l'Appareil avait failli, pis, qu'il était faillible, cela voulait dire que, dans la terre sacrée du *Gkabul*, il était des endroits et des gens qui échappaient à la lumière et à la juridiction de Yölah. L'autre mystère était qu'il n'y avait pas de squelettes dans les rues ni dans les maisons. De quoi ses habitants étaient-ils morts, qui avait enlevé les corps, où les avait-on mis étaient les questions auxquelles Nas devait trouver réponse. Un soir, dans la discussion autour du feu, il se laissa aller à dire que parmi les clercs du ministère il se murmurait qu'un certain Dia, grand Honorable de la Juste Fraternité et chef du puissant département des Enquêtes sur les miracles, avait jeté son dévolu sur ce village, il le voulait pour servir sa légende personnelle et posséder en bien propre un pèlerinage de première importance. Nas s'employait à sa tâche avec passion et une crainte grandissante car il voyait bien qu'il se trouvait dans le périmètre d'enjeux considérables et de rivalités d'une infinie complexité entre clans de la Juste Fraternité. Un jour, oubliant toute prudence, il révéla à Ati que les fouilles avaient mis au jour des pièces susceptibles de révolutionner les fondements symboliques mêmes de l'Abistan.

C'est son regard qui attira celui d'Ati, c'était le regard d'un homme qui, comme lui, avait fait la perturbante découverte que la religion peut se bâtir sur le contraire de la vérité et devenir de ce fait la gardienne acharnée du mensonge originel.

LIVRE 2

Dans lequel Ati retrouve son quartier à Qodsabad, ses amis, son travail, et voit la routine des jours lui faire rapidement oublier le sanatorium, ses misères et les sombres réflexions qui avaient envahi son esprit malade. Mais ce qui est fait est fait, les choses ne disparaissent pas parce qu'on s'en éloigne, derrière les apparences souveraines est l'invisible, avec ses mystères et ses menaces obscures. Et il y a le hasard qui coordonne le tout comme un architecte réalise son œuvre, avec art et méthode.

Ati s'était remis de sa maladie et de son prodigieux voyage. Si séquelles il y avait, elles n'étaient guère visibles, un teint cireux, des joues hâves, une ridule par-ci, une petite nécrose par-là, du grincement dans les articulations, des sifflements intempestifs dans la gorge, rien de méchant, il ne déparait aucunement dans la pâleur ambiante. Voisins et amis l'avaient chaleureusement accueilli et accompagné en digne aréopage dans toutes ses démarches. La réinsertion, c'est des courses, des attentes, des papiers à déposer et à retirer, des arrangements à inventer, on se perd parfois. Mais au bout, les fils avaient été renoués, Ati était enfin chez lui, la vie avait repris un cours normal. Et de fait, il avait gagné au change, il était vacataire dans une vague régie municipale, il se retrouvait à la mairie, dans un poste sensible, le bureau des patentes, on y délivrait des papiers importants aux commerçants ; il lui revenait, sous l'autorité du chef, d'en faire l'ampliation et d'archiver des copies. À ce niveau de responsabilité, il avait le droit, et l'obligation, de porter le brassard vert barré de blanc des édiles de base et, lors des prières dans sa *mockba*, une place lui était réservée au huitième rang. Il avait habité une chambre dans un sous-sol humide qui sentait le rat et la punaise et avait été cause de sa tuberculose, on lui affecta un petit studio sympathique sur la terrasse ensoleillée d'un immeuble vétuste mais encore valide. Au temps où l'eau courait dans les tuyauteries et enchantait les foyers, c'était une buanderie ouverte aux vents et aux pigeons où les femmes montaient laver leur linge et, pendant qu'il séchait au soleil, se régalaient de bouffonneries en observant le monde des hommes grouiller oiseusement en bas de l'immeuble dans la poussière des rues, sabbat qu'un comité civique finit par découvrir et le lieu fut pris d'assaut, réquisitionné par arrêté du Bailli, désenvoûté et attribué à un honnête maître d'école qui à force de bricolage et de calfeutrage en avait fait un nid douillet. Il venait de décéder et ne laissait rien derrière lui, ni famille ni souvenir, des grimoires scolaires seulement et l'impression d'un homme effacé. La solidarité était un devoir entre croyants et comptait particulièrement dans la notation mensuelle, mais il y avait aussi l'affection et l'admiration : dans le quartier, Ati était un héros, vaincre la terrible tuberculose et revenir vivant de si loin était un exploit digne d'un croyant ayant la faveur de Yölah, le favoriser allait de soi. Le peu qu'il avait raconté du sanatorium, du climat et du voyage avait suffi pour tétaniser collègues et voisins. Pour des gens qui ne sont jamais sortis de leur peur, l'ailleurs est un abîme. Plus tard, beaucoup plus tard, il saurait que sa magnifique promotion n'avait tenu ni à la sympathie des gens, ni à ses exploits, pas davantage à la bienveillance de Yölah mais seulement à la recommandation d'un agent de l'Appareil faite au nom du tout-puissant ministère de la Santé morale.

Puis arriva discrètement l'oubli et tout s'évanouit dans le bredouillage et le silence. Les obligations de la religion, les activités parareligieuses, les cérémonies afférentes, tout cela laissait peu de temps à la rêverie et à la palabre, que tous simplement refusaient. Ce n'est pas tant que les gens craignaient d'être rabroués, ou captés et scannés par les V, ou pris à partie par les Croyants justiciers bénévoles ou les Miliciens volontaires, voire remis à la police et à la justice, mais véritablement leur conformation profonde était ainsi, ils s'ennuyaient rapidement de ce qui les distrayait de leurs devoirs religieux et parareligieux, et au final leur faisait perdre des points et les exposait à la vindicte de Yölah. Cela convenait à Ati, il n'espérait rien de mieux que reprendre pleinement sa vie de bon croyant attentif à l'harmonie générale, il ne se sentait pas la force et le courage d'être un incroyant engagé.

Il s'y appliqua avec sérieux et énergie tant dans son travail à la mairie qu'à la *mockba* du quartier, et dans le service du volontariat il se surpassait, sautant d'un chantier à l'autre sans se donner le temps de s'éponger le front. Se tuer au travail, rien de mieux pour oublier et s'oublier, car quelque chose remuait dans sa tête et l'obsédait. Même mort de fatigue, le sommeil ne venait pas, aussi prolongeait-il le plus possible ses soirées d'études à la *mockba*, ce qui flattait grandement le *mockbi*, ses répétiteurs et ses incantateurs. Ati expliquait qu'il avait pris du retard dans ses études et ses dévotions au cours de son séjour au sanatorium, l'aumônier de l'hôpital et ses suppléants se dépensaient à fond mais manquaient notoirement de science et de pénétration, à la première difficulté ils versaient dans le conte et la magie quand ce n'était pas dans le charabia et l'hérésie. Il y avait aussi la maladie et ses souffrances, et la mort qui raflait comme à la guerre, et la faim et le froid, et le mal du pays, qui engourdissaient l'esprit et empêchaient de tout bien comprendre.

Pour le reste, Ati faisait ce qu'il pouvait pour esquiver et se dérober. Ce dont il se régalait jadis – et dont il se flattait – l'écœurait aujourd'hui : espionner les voisins, houspiller le passant distrait, talocher les enfants, cravacher les femmes, s'agglutiner en foules compactes et sillonner le quartier pour donner en spectacle la ferveur populaire, assurer le service d'ordre des grandes cérémonies au stade et donner de la trique, prêter la main aux bourreaux volontaires lors des exécutions de peines. Il ne pouvait oublier qu'au

me brewer
—unforgivable

sanatorium il avait franchi une ligne rouge,
s'était rendu coupable de haute mécréance, un
crime par la pensée, il avait rêvé de révolte, de
liberté et d'une vie nouvelle au-delà des frontières ; cette folie remonterait un jour à la surface
et causerait bien des malheurs, il le pressentait.
Dans la réalité, hésiter simplement est dangereux, il faut marcher droit et constamment se
tenir du bon côté de l'ombre sans jamais éveiller
le soupçon car alors rien n'arrêtera la machine
de l'inquisition, le défaillant ne saura pas comment il se retrouvera au stade entouré de tous
les acolytes qu'on lui trouvera jusqu'au dernier.

Ce qu'il accomplissait si naturellement jadis
lui coûtait à présent, et le mal gagnait. Il ne savait
plus dire « Yölah est juste » ou « Salut à Yölah
et à Abi son Délégué » et paraître vrai, pourtant
sa foi était intacte, il savait peser le pour et le
contre, faire la différence entre le bien et le mal
selon la bonne croyance mais, las, il lui manquait quelque chose pour être juste, l'émotion
peut-être, la stupeur, l'emphase ou l'hypocrisie,
oui, sûrement cette extraordinaire bigoterie sans
laquelle la croyance ne saurait exister.

Ce que son esprit rejetait n'était pas tant la
religion que l'écrasement de l'homme par la
religion. Il ne se souvenait plus par quel cheminement d'idées il s'était convaincu que l'homme
n'existait et ne se découvrait que dans la révolte
et par la révolte et que celle-ci n'était vraie que
si elle se tournait en premier contre la religion et
ses troupes. Peut-être même avait-il pensé que

how religion
destroys man

la vérité, divine ou humaine, sacrée ou profane, n'était pas la véritable obsession de l'homme mais que son rêve, trop grand pour qu'il l'appréhendât dans toute sa folie, était d'inventer l'humanité et de l'habiter comme le souverain habite son palais.

Avec le temps vint l'apaisement, Ati entrait par là réellement dans la routine rêvée. Il était enfin un croyant comme les autres, il ne courait plus de danger. Il retrouvait le plaisir de vivre au jour le jour sans s'inquiéter du lendemain et le bonheur de croire sans se poser de questions. Il n'y a pas de révolte possible dans un monde clos, où n'existe aucune issue. La vraie foi est dans l'abandon et la soumission, Yölah est omnipotent et Abi est le gardien infaillible du troupeau.

C'est avec soulagement et gravité qu'un matin Ati apprit que le Samo, le comité de la Santé morale, passerait le lendemain à la mairie pour l'inspection mensuelle du personnel et qu'il était convoqué comme les autres. Il se sentait réellement réintégré dans la communauté des croyants. Jusque-là, on l'avait tenu un peu à distance, dispensé qu'il était de confession et de démonstration de piété : on estimait que dans son état de convalescent il n'avait pas la pleine possession de ses moyens, qu'il pouvait encore être la proie du délire et offenser malgré lui la divinité et ses représentants. À son retour du sanatorium, il avait été décidé qu'en attendant son rétablissement complet il serait auditionné à la *mockba* de son quartier et que celle-ci ferait rapport à l'unité locale du Samo. Dans le Livre d'Abi, plusieurs versets insistaient sur la nécessité que le croyant soit maître de sa parole pour être valablement jugé.

L'Inspection périodique était pour ainsi dire un sacrement, elle occupait une place signalée dans la vie du croyant, c'était un acte liturgique fort, aussi important que la Césure pour les garçons, que la Résection pour les filles, que les neuf prières quotidiennes, que la grande Imploration du Jeudi, que le Siam, les huit jours saints de l'Abstinence absolue, ou les Joré, les Journées de la Récompense qui distinguaient les croyants émérites, et autant que l'Expectation au long cours ou le Jobé, l'incroyable Jour Béni qui voyait les heureux élus du pèlerinage prendre la route des Lieux saints. On ne se faisait pas « noter » par le Samo, les gens ne l'entendaient pas de la sorte, on participait avec lui à la consolidation de l'harmonie générale dans la lumière de Yölah et la parfaite connaissance du *Gkabul*, et Yölah sait ce qui est juste et nécessaire. L'Inspection était attendue avec impatience. Le résultat, une note sur soixante assortie d'observations pertinentes, était consigné dans un carnet vert barré de mauve appelé Livret de la Valeur, le Liva, que chacun portait sur lui sa vie durant. C'était une pièce d'identité morale que l'on exhibait fièrement, elle établissait des hiérarchies et ouvrait des chemins.

Dans les administrations, l'Inspection intervenait le quinze du mois. Tant de choses dépendaient d'elle, la rémunération du travailleur en premier (la note pouvait l'augmenter de moitié ou la diminuer d'autant), l'avancement dans la carrière, l'accès aux prestations sociales, l'attribution d'un toit, d'une bourse d'études pour les enfants, d'une prime de naissance, de bons de ravitaillement, l'inscription sur les listes des pèlerinages, la nomination aux Joré, et toutes sortes de privilèges en rapport avec le statut de la personne. Un soixante sur soixante était un miracle dont chacun rêvait. Le lauréat deviendrait un mythe vivant mais – les ambitieux naïfs n'y pensaient pas assez – une telle reconnaissance ferait de lui un phénomène de foire que l'on baladerait de place en place jusqu'à épuisement. Mais avant cela, les jaloux le rabaisseraient plus bas que terre et le désigneraient comme renégat. L'Inspection évaluait la foi et la morale du croyant et en arrière-plan fournissait d'utiles informations aux différents services de l'Appareil. Son volet « autocritique », s'il était bien déroulé, provoquait parfois des effondrements émotionnels et amenait des aveux spontanés pouvant déclencher de belles chasses aux sorcières. Bref, la note était une clé universelle, elle ouvrait et fermait toutes les portes de la vie. Si un défunt avait eu des notes excellentes d'un bout à l'autre de son existence, il était permis à sa famille de demander sa canonisation. Jamais personne ne l'avait obtenue mais la procédure existait et l'on était encouragé à y recourir par une publicité active, diligentée par la Générale des Pompes funèbres, monopole planétaire détenu par un membre influent de la Juste Fraternité, l'Honorable Dol, par ailleurs

importance of
saving his status

directeur du département des Monuments historiques nationaux et des Biens immobiliers de l'État. L'argument-choc était qu'un saint homologué dans une famille, c'était le paradis assuré pour chacun de ses membres et la possibilité pour eux de voir un jour Abi en personne, du moins son ombre derrière un rideau. Un enterrement de première classe offert aux nominés à la canonisation coûtait mille fois le prix des funérailles d'un grand notable et on ne savait combien de zéros il fallait ajouter par rapport à l'enfouissement d'un ouvrier, c'est dire si la béatification était rentable pour les assureurs et autres fossoyeurs.

Lorsque la note était négative six mois d'affilée, et si l'état de santé du prévenu n'était pas la cause évidente de la défaillance, l'affaire passait sous la juridiction d'une autre institution, le Core, le Conseil de Redressement. Et le défaillant disparaissait, après une convocation en bonne et due forme. De ce conseil on ne savait rien, mais on y pensait souvent, il était comme la mort, les vivants ne la connaissent pas et ne peuvent rien en dire et ceux qui la connaissent ne sont plus de ce monde pour en parler. Du disparu, rayé aussitôt des listes et des mémoires, on disait charitablement ou cruellement « le Core l'a emporté, Yölah est compatissant » ou « le Core l'a rayé, Yölah est juste », et on retournait à ses dévotions. Ne pas savoir empêche la peur et simplifie la vie.

Pour totalitaire qu'il était, et peut-être pour

— is narrator ridiculing the bigoting. bureaucratic-tenuous link system?

cela, le Système était parfaitement accepté, parce qu'il était inspiré par Yölah, conçu par Abi, mis en œuvre par la Juste Fraternité et surveillé par l'infaillible Appareil, et enfin revendiqué par le peuple des croyants pour lequel il était une lumière sur le chemin de la Réalisation finale.

Le Core, formé de deux *mockbis* et d'un agent de l'Appareil, était présidé par un recteur dépendant de l'Honorable de la Juste Fraternité qui supervisait le domaine d'activité ou la région en question. Un comité des plus importants était celui qui évaluait le personnel des administrations. Dans la capitale, il jouissait d'une aura particulière et d'une solide organisation, animant une kyrielle de sous-comités qui démultipliaient son action dans les différents services et quartiers de la ville. On les connaissait par leurs codes. Celui qui opérait dans le quartier d'Ati, le S21, au sud de Qodsabad, avait pour alias : Comité S21. Il faut savoir qu'il avait la réputation d'être inflexible mais infailliblement juste. Son président était le vieux Hua, recteur émérite. En son jeune âge, il avait été un fameux combattant de la foi.

Ati était tout ému de retrouver l'atmosphère de la sainte Examination, c'était une simple formalité par bien des côtés (il ne s'agissait que de répondre à des questions oiseuses et de confesser de petits écarts) mais qui pouvait réserver des surprises, voilà pourquoi on était à la fois serein et fier mais aussi tendu et inquiet. Le comité était arrivé en grande pompe dans une berline de la meilleure antiquité conduite par un agent de l'Appareil, encadrée pédestrement par une escouade de miliciens athlétiques, et fut reçu par les hauts responsables de la mairie sous les acclamations de la foule et du personnel massé sur le parvis. Ati ne connaissait aucun de ses membres. C'était normal, ils changeaient tous les deux ans pour éviter que la qualité de l'Inspection ne soit corrompue par un contact prolongé entre juges et justiciables, et Ati avait été absent deux longues années.

Pendant que les juges officiaient dans la salle des cérémonies transformée en centre d'interrogatoire, le personnel s'occupait à se préparer. Ici on révisait des extraits choisis du *Gkabul,* là on échangeait des informations sur l'état du pays, fournies par les *nadirs* et les gazettes, notamment les *NoF,* ailleurs on affûtait des arguments, on répétait des slogans, on peaufinait des pensées, on polissait des phrases, on récitait des prières, on devisait en faisant les cent pas, on sommeillait dans un coin, enveloppé dans son *burni.* C'était la veillée d'armes, on attendait son tour de monter au front mais sans vrai souci, on savait que neuf balles sur dix étaient des balles à blanc.

Ati naviguait de groupe en groupe, essayant de voir par-dessus les épaules et d'attraper quelque chose dans le brouhaha des couloirs.

Son tour arriva. Étant nouveau à la mairie, il clôturait l'opération. Il fut introduit par le maire en personne ravalé au rang de portier, mais lui-même avait été un *mockbi* dans une autre vie, il savait l'importance des choses. Les juges examinateurs étaient assis derrière une table dressée sur un podium. Sur un pupitre couvert de soie, un *Gkabul*, ouvert à la page 333 où se lisait le chapitre « Le chemin de la Réalisation finale » et notamment le verset 12 : « *J'ai établi des comités formés des plus sages d'entre vous pour juger vos actes et sonder vos cœurs et cela afin de vous maintenir dans la voie du* Gkabul. *Soyez véridiques et sincères avec eux, ils sont mes envoyés. Il en cuira à celui qui ruse et se dérobe, je suis Yölah, je sais tout et je peux tout.* »

Sur une table étaient empilés les dossiers des employés de la mairie, classés par ordre d'ancienneté.

Les juges avaient des regards de juges et des voix à l'avenant, on pouvait les craindre, mais il y avait aussi une sorte de chaleur humaine qui se dégageait de leurs personnes, impression qui venait sans doute du grand âge du président et du petit air benoît des assesseurs. Par-dessus le *burni* de laine fine, ils portaient l'étole verte barrée de vermillon des juges de la Santé morale. Le recteur Hua portait un bonnet pelucheux noir de jais qui faisait ressortir la blancheur immaculée de ses toupillons. Après avoir survolé le dossier du ci-devant Ati, il dit :

103

« En premier ceci, écoutez mes salutations et mes prières et témoignez de mon humilité.

« Le salut sur toi, Yölah le juste, le fort, et sur Abi ton merveilleux Délégué. Soyez loués jusqu'à la fin des temps, au plus loin de l'univers, et que vos ambassadeurs de la Juste Fraternité soient bénis et justement rémunérés pour leur fidélité. Je te prie, Yölah, de nous donner la force et l'intelligence d'accomplir la mission par toi dévolue à nous. Ainsi en est-il selon ta loi. »

Après une pause, il s'adressa à Ati en ces termes :

« Ati, que Yölah t'assiste dans cette épreuve de vérité. Il te voit et t'écoute. Tu as deux minutes pour lui prouver que tu es le plus fidèle des croyants, le plus honnête des travailleurs et le plus fraternel des compagnons. Nous savons que tu as été longtemps malade, loin de chez toi, tu as pris du retard dans tes études et tes dévotions. Comme Yölah l'ordonne et comme Abi son Délégué le pratique quotidiennement, nous serons indulgents avec toi, pour cette fois. Parle et ne te perds pas dans le boniment, Yölah hait le discoureur. Après ton plaidoyer, nous t'interrogerons plus finement et tu répondras simplement par oui ou par non. »

Les assesseurs acquiescèrent.

Le temps d'un éclair, Ati se laissa traverser l'esprit par l'idée folle qu'il n'avait rien à prouver à quiconque mais la réalité qui l'entourait était trop colossale pour qu'il l'oubliât. Et comment aller contre son éducation de croyant soumis, pas un fidèle ne savait le faire. Il prit son souffle et parla comme suit :

« En premier ceci : je joins aux vôtres mes humbles salutations à Yölah tout-puissant et à Abi son merveilleux Délégué, et à vous mes bons juges je dis mon salut respectueux.

« Grand Recteur, maîtres respectés, Yölah est sage et juste, en vous plaçant à de si hautes fonctions il montre l'amour qu'il a pour vous. En me menant devant vous, il montre que je suis petit et ignorant. En quelques mots, vous m'avez beaucoup appris : que Yölah est un maître compatissant – il vous a touchés de sa grâce comme votre générosité à mon égard en témoigne –, qu'Abi est un modèle vivant et qu'il suffit de l'imiter pour être un croyant parfait, un travailleur honnête et un frère pour chaque membre de la communauté. Si je suis là, revenu vivant du sanatorium du Sîn après un voyage éprouvant, je le dois à Yölah. Je l'ai prié chaque jour, à chaque pas, et il m'a entendu, il m'a soutenu de bout en bout. À Qodsabad, il a fait de même, j'ai été accueilli comme un vrai croyant, un frère sincère, un travailleur honnête. Voilà pourquoi je crois être ce que vous me demandez de prouver mais je sais aussi que j'ai beaucoup de chemin à faire sur la voie de l'amélioration. Mon jugement sur ma petite personne ne compte pas, il vous revient de me juger et de faire de moi le serviteur parfait de Yölah et d'Abi sous les ordres éclairés de la Juste Fraternité. »

Le comité était impressionné mais Ati ne savait trop s'il avait été convaincant ou seulement éloquent.

Le président Hua se reprit :

« Dans leurs rapports, le *mockbi* de ton quartier et ton chef à la mairie disent que tu fais montre d'un engagement très studieux. Est-ce par ambition, hypocrisie ou quoi d'autre ?

— Par devoir, vénérables maîtres, pour me mettre à jour dans mes dévotions et en harmonie avec mes frères. La maladie m'a trop longtemps éloigné de mes devoirs et de mes amis. »

L'assesseur représentant l'Appareil prit un air soupçonneux et insista :

« Étudier renforce la foi. Penses-tu que l'on peut aussi le faire pour se donner des raisons de dénigrer la foi ? Celui qui se rapproche de son idole le fait-il pour l'aimer davantage ou pour la caresser et l'abattre traîtreusement ?

— Maître, je ne peux croire que pareilles gens existent, le *Gkabul* est une lumière qui éclipse le soleil le plus ardent, aucun mensonge ne peut se cacher d'elle, aucun artifice ne peut l'éteindre.

— Tes amis et tes collègues pensent-ils la même chose ?

— J'en suis sûr, maîtres, je vois chaque jour qu'ils sont de vrais croyants, heureux de vivre dans la voie et élevant leurs enfants selon les principes du saint *Gkabul*. Je suis fier de leur compagnie.

— Réponds par oui ou par non, rappela le président.

— Oui.

— Nous le dirais-tu si l'un d'eux manquait à ses devoirs?

— Oui.

— Explique un peu… lui infligerais-tu le juste châtiment s'il était confondu par un juge?

— Vous voulez dire… le… tuer?

— J'entends bien cela, le punir.

— Euh… oui.

— Tu as hésité… pourquoi?

— Je me suis demandé si je saurais le faire. Le châtiment doit être saintement appliqué or je ne suis pas adroit de mes mains. »

Le recteur Hua reprit la parole.

« Et maintenant tu as une minute pour faire ton autocritique, nous t'écoutons… et souviens-toi que nous te regardons.

— Je ne sais que dire, vénérables juges. Je suis un homme insignifiant, mes défauts sont ceux des petites gens. Je suis craintif, pas aussi charitable que je le voudrais et parfois je me laisse aller à la convoitise. La maladie qui m'a longtemps torturé a aggravé mes faiblesses, la privation a aiguisé mon appétit. Les études et le volontariat auxquels je consacre tout mon temps m'aident à prendre sur moi…

— Bien, bien, tu peux te retirer. Nous te donnerons une bonne note pour t'encourager dans la voie de la fidélité et de l'effort. Va souvent au stade pour apprendre à châtier les traîtres et les mauvaises femmes, parmi eux se trouvent très certainement des adeptes de Balis le Renégat, prends plaisir à les châtier. Rappelle-toi que croire ne suffit pas, il faut aussi faire, ainsi seulement le croyant est un vrai croyant, fort et courageux. »

Et d'ajouter en se levant :

« Faire c'est croire deux fois, et ne rien faire c'est mécroire dix fois, souviens-t'en, c'est écrit dans le *Gkabul*.

— Merci, vénérables maîtres, je suis l'esclave de Yölah et d'Abi, et votre serviteur dévoué. »

Ati n'avait pas fermé l'œil de la nuit, le film de l'Examination tournait en boucle dans sa tête. C'était le film d'un viol consenti qu'il subirait chaque mois de chaque année tout le long de sa vie. Mêmes questions, mêmes réponses, même folie à l'œuvre. Quelle issue? À part sauter de son toit, tête en avant, il ne voyait pas.

Ati n'en revenait pas. La vie à la mairie avait repris le lendemain comme si la veille n'avait pas existé. La force de l'habitude, quoi d'autre? Ce qui se répète entre dans le fouillis des routines invisibles et s'oublie. Qui se voit respirer, cligner des paupières, penser? Un viol consenti répété jour après jour, mois après mois, toute la vie, devient-il une relation d'amour? Une addiction heureuse? Ou est-ce le principe d'ignorance qui joue encore et toujours? De quoi pourrait-on en effet se plaindre si on ne sait pas, si rien ne nous appartient? Ati voulut en parler avec quelqu'un, son chef par exemple, c'était un vieux de la vieille, mais celui-ci avait un autre plan en tête, il lui ordonna de ne pas oublier de parachever l'ampliation des dossiers du mois précédent et de les archiver en bon ordre dans le bon carton.

Ati en vint à penser que l'Inspection n'avait pour but que de maintenir les gens dans la peur, mais à peine émit-il l'hypothèse qu'il la rejeta, personne n'avait l'air d'avoir peur, ni du viol ni de l'idée qu'ils pourraient être emportés par le Core, et d'ailleurs personne ne cherchait à leur faire peur, ni les comités ni les miliciens, le souci de tous et de chacun était de plaire à Yölah. C'était à n'y rien comprendre, les moutons qui vont à l'abattoir ne sont pas plus indifférents à leur sort que les hommes qui vont à l'Inspection morale. Yölah était bien le plus fort.

Ati eut tout à coup envie de savoir où il en était de sa réinsertion, était-elle achevée, à peine commencée ou était-elle définitivement impossible?

⟩ self doubt

Ati s'était lié d'amitié avec un collègue de bureau, un homme tout en finesse qui avait été pour lui un vrai guide dans le maquis broussailleux de la mairie. Il s'appelait Koa. Il savait tout, pouvait plus, maîtrisait l'art de dire aux gens exactement ce qu'ils désiraient entendre et tous adoraient sa compagnie. On ne lui refusait rien. La corruption étant ce qu'elle était à la mairie, une autre façon de respirer, Koa s'était fait une conduite sûre. Il avait appris à vivre en apnée sans paraître manquer d'air et sans s'offusquer de voir les gens autour de lui se gratter et haleter comme des chiens. Il transmit à Ati son art, qui le débarrassa immédiatement de ses aigreurs d'estomac. « Tout est dans la respiration », lui disait Koa en le voyant sourire d'aise. Ne pas se faire d'ennemis est plus facile quand on est à plusieurs, on assure ses arrières mutuellement. Il disait : « Avec les loups, il faut hurler ou faire semblant de hurler, bêler est la dernière chose à faire. » Mais Koa avait en vérité un grand défaut dans l'âme, il était gentil, d'une gentillesse inguérissable, doublée d'une incurable candeur qu'il croyait cacher en l'habillant d'un cynisme vachard. On venait pleurer sur son gilet pour obtenir sur-le-champ ce que chez les autres il fallait payer au prix fort et attendre longtemps. La chose cassait le marché et ruinait les collègues mais, comme il leur disait ce qu'ils désiraient spécialement entendre, on ne lui en voulait pas trop, on le priait encore une fois, et c'était bien la dernière, de rediriger les demandeurs vers les bonnes portes, et cela avant qu'ils versent la première larme.

Au fil des jours et des discussions, Ati et Koa s'étaient découvert une passion commune : le mystère de l'*abilang*, la langue sacrée, née avec le saint Livre d'Abi et devenue langue nationale exclusive omnipotente. Ils rêvaient de le percer, ce mystère, persuadés qu'il était la clé d'une compréhension révolutionnaire de la vie. Chacun par son chemin était arrivé à l'idée que l'*abilang* n'était pas une langue de communication comme les autres puisque les mots qui connectaient les gens passaient par le module de la religion, qui les vidait de leur sens intrinsèque et les chargeait d'un message infiniment bouleversant, la parole de Yölah, et qu'en cela elle était une réserve d'énergie colossale qui émettait des flux ioniques de portée cosmique, agissant sur les univers et les mondes mais aussi sur les cellules, les gènes et les molécules de l'individu, qu'ils transformaient et polarisaient selon le schéma originel. On ne savait comment, sinon par l'incantation, la répétition et la privation de l'échange libre entre les gens et les institutions, cette langue créait autour du croyant un champ de forces qui l'isolait du monde, le rendait sourd par principe à tout son qui n'était pas le chant sidéral et envoûtant de l'*abilang*. Au final, elle faisait de lui un être différent qui n'avait rien à voir avec l'homme de nature, né du hasard et de la combine, pour lequel il n'avait que mépris et qu'il voudrait écraser de son talon s'il ne pouvait le modeler à son image. Ati et Koa croyaient à ceci, qu'en transmettant la religion à l'homme la langue sacrée le changeait fondamentalement, pas seulement dans ses idées, ses goûts et ses petites habitudes mais dans son corps en entier, son regard et sa façon de respirer, afin que l'humain qui était en lui disparaisse et que le croyant né de sa ruine se fonde corps et âme dans la nouvelle communauté. Il n'aurait plus jamais, même mort et réduit en marmelade, une autre identité que celle-ci : croyant en Yölah et en Abi son Délégué, et ainsi ses descendants jusqu'à la fin des temps porteraient cette identité avant même de naître. Le peuple de Yölah ne s'arrêtait pas aux vivants et aux disparus, il comptait les millions et les milliards de croyants qui arriveraient dans les siècles futurs et formeraient une armée à l'échelle du cosmos. Une autre question mobilisait Ati et Koa : s'il existait d'autres identités, qu'étaient-elles ? Et deux autres encore, subsidiaires : c'est quoi, un homme sans identité, qui ne sait pas encore qu'il faut croire à Yölah pour exister, et qu'est-ce que l'humain au juste ?

Ati s'était ouvert à ces questions au sanatorium, quand le doute commençait à se frayer un chemin en lui et qu'il voyait ses coreligionnaires vivre dans une totale sidération le peu de vie qu'il leur restait. Qu'est-ce qui faisait d'un être imbu de son essence divine une larve rudimentaire et aveugle, voilà une question. Était-ce la force des mots ? Toujours était-il que dans cette forteresse médiévale, là-bas en ce bout du monde où passaient d'inimaginables frontières, les bruits de la vie et des choses avaient un substrat étrange, fait de vieux mystères irrésolus et de violence rassise, il transformait à la longue les malades en fantômes erratiques qui véritablement lévitaient au ras du sol, erraient dans le labyrinthe, gémissants et poussifs, et entre deux éclairements ou au détour d'une ombre indistincte disparaissaient comme par enchantement. C'est lors des coupures d'électricité si fréquentes qu'Ati s'avisa que la sono continuait de débiter du son, sauf qu'elle ne le tirait pas d'une mémoire magnétique et d'une magnéto providentielle mais de la tête des gens, où les paroles chargées de la magie des prières et des scansions répétées à l'infini s'étaient incrustées dans les chromosomes et avaient modifié leur programme. Le son emmagasiné dans les gènes passait de leur corps au sol et du sol aux murs qui se mettaient à vibrer et à moduler l'air selon les fréquences des prières et des incantations, l'épaisseur des pierres ajoutant au requiem un écho d'outre-tombe. L'air lui-même était transformé en une sorte de brume douceâtre et âcre qui tournait dans les boyaux de la forteresse et agissait sur les pensionnaires et les pénitents mieux qu'un puissant hallucinogène. C'était comme si tout ce monde improbable et obscur vivait à l'intérieur d'une prière aux morts. C'est la force du mouvement infinitésimal, rien ne lui résiste, on ne se rend compte de rien pendant que, vaguelette après vaguelette, angström après angström, il déplace les continents sous nos pieds, et dans les profondeurs dessine des perspectives fantastiques. C'est en observant ces phénomènes dépassant l'entendement qu'Ati eut la révélation que la langue sacrée était de nature électrochimique, avec sans doute une composante nucléaire. Elle ne parlait pas à l'esprit, elle le désintégrait, et de ce qu'il restait (un précipité visqueux) elle faisait de bons croyants amorphes ou d'absurdes homoncules. Le Livre d'Abi le disait à sa manière hermétique en son titre premier, chapitre 1, verset 7 : « *Quand Yölah parle, il ne dit pas des mots, il crée des univers et ces univers sont des perles de lumière irradiante autour de son cou. Écouter sa parole, c'est voir sa lumière, c'est se transfigurer dans le même instant. Les sceptiques connaîtront la damnation éternelle et en vérité elle a commencé pour eux et leur descendance.* »

Koa avait suivi un autre chemin. Il avait effectué d'abord des études approfondies d'*abilang* à l'École de la Parole divine, institution prestigieuse ouverte aux méritants, et Koa l'était plus que beaucoup car son défunt grand-père était le fameux *mockbi* Kho, de la Grande Mockba de Qodsabad, dont les prêches restés célèbres et les magnifiques formules-chocs (comme ce remarquable cri de guerre : « Allons mourir pour vivre heureux », adopté depuis par l'armée abistanaise comme devise sur son blason) avaient levé d'innombrables contingents de bons et héroïques miliciens, tous bel et bien morts en martyrs lors de la précédente Grande Guerre sainte. Koa, que travaillait une certaine révolte encore juvénile, tournée contre la figure oppressive du grand-père, partit ensuite s'établir comme professeur d'*abilang* dans une école d'une banlieue dévastée et là, comme dans un laboratoire de campagne mis à sa disposition, il put vérifier *in vivo* la force de la langue sacrée sur l'esprit et le corps de jeunes élèves, nés et élevés pourtant dans l'une ou l'autre langue vulgaire et clandestine de leur quartier. Alors que tout dans leur environnement les vouait à l'aphasie, à la déchéance et à l'errance dans la désunion, ils se muaient en croyants ardents, rompus à la dialectique et déjà juges unanimes de la société après un petit trimestre d'apprentissage de l'*abilang*. Et la couvée, criarde et vindicative, se proclamait prête à prendre les armes

establishing the 'correct' language

et à partir à l'assaut du monde. Et de fait, physiquement aussi ils n'étaient plus les mêmes, ils ressemblaient déjà à ce qu'ils seraient après deux ou trois terrifiantes Guerres saintes, trapus, bossus, couturés. Beaucoup estimaient qu'ils en savaient assez et qu'ils n'avaient pas besoin de plus de leçons. Pourtant Koa ne leur avait pas dit un traître mot de la religion et de ses visées planétaires et célestes, ni enseigné un seul verset du *Gkabul*, sinon la salutation courante « *Yölah est grand et Abi est son Délégué* » qui n'était après tout, chez les gens heureux, qu'une façon un peu grandiloquente de dire bonjour. D'où venait le mystère ? Koa se posait une autre question, plus personnelle : pourquoi le mystère ne l'avait-il pas affecté, lui qui était né dans l'*abilang* et le *Gkabul*, les connaissait intimement, et dont l'ancêtre était un virtuose de la manipulation mentale de masse ? Laquelle des deux questions était la plus dangereuse, c'était plutôt ça qu'il fallait trancher en premier. Il comprenait enfin que lorsqu'on a allumé une mèche il faut s'attendre à ce qu'il se passe quelque chose. Même si on ne le voit pas, il y a une continuité certaine dans le cheminement des idées et l'organisation des choses, une balle tirée de sa fenêtre c'est un mort à l'autre bout de la rue, et le temps qui passe n'est pas du vide, il est le lien entre la cause et l'effet. Au dernier jour de l'année scolaire, le pauvre Koa rendit son tablier comme s'il craignait pour sa vie parmi ses élèves, réintégra la ville et se mit à la recherche d'un emploi stable et rémunérateur. Il ne connaissait pas le secret de la langue, ne le connaîtrait jamais, mais il savait son pouvoir immense.

Qu'étaient ces élèves devenus? De bons et honnêtes *mockbis*, des martyrs encensés, des miliciens admirés, des mendiants professionnels, des errants et des blasphémateurs dont la course s'était achevée au stade? Koa l'ignorait, ce qui se passait dans ces banlieues dévastées était toujours très incertain, c'étaient des mondes à part, entourés de murs et de précipices, leurs populations se renouvelaient plusieurs fois dans une vie. Chacun prélevait sa part, la maladie, la misère, les guerres, les calamités, la malchance, et même la réussite qui emportait les petits débrouillards et les installait chez l'ennemi, personne n'était épargné, tous mouraient à la fin, mais comme il en arrivait autant de l'autre côté, des migrants, des déplacés, des exilés, des relégués, des réfugiés, des transfuges, des ratés aussi, on ne se rendait compte de rien, ces extraterrestres se ressemblaient tant, qu'ils fussent d'ici ou d'ailleurs. Comme partout, chez les humains comme chez les caméléons, on prenait la couleur des murs, et il y avait des murs lépreux et d'autres vermoulus, c'était ça le drame. C'était le côté cynique de Koa qui parlait ainsi.

Les deux compères menaient leurs petits travaux dans plusieurs directions. Ils fréquentaient assidûment la *mockba*, étudiant le *Gkabul*, écoutant le *mockbi* commenter les légendes de l'Abistan mille fois grossies, observant les ouailles entrer en catalepsie dès lors que les crieurs les invitaient à l'oraison par la salutation « Salut à Yölah et à Abi son Délégué », reprise en chœur par les répétiteurs et la masse des orants, le tout dans une atmosphère intensément recueillie et discrètement soupçonneuse. Il y avait dans tout ça comme un formidable tour de passe-passe, plus on regardait, moins on comprenait. Un principe d'incertitude gouvernait les croyants, on ne savait parfois s'ils étaient vivants ou s'ils étaient morts ni si, à cet instant, eux-mêmes faisaient la différence.

Ils étudiaient aussi chez l'un ou chez l'autre quand il était possible de tromper la vigilance des comités civiques de quartier, dits les Civiques, lesquels avaient le pouvoir souverain de s'inviter partout où ils soupçonnaient que se déroulaient des activités nouvelles. Et bavarder entre amis après le travail l'était vraiment de trop, il n'y avait que le Chitan pour appeler à de telles oisivetés. Leur *burni* vert barré de jaune fluo les signalait de loin mais il ne leur était pas interdit d'user de ruses pour surprendre les guetteurs, de là venait le sentiment de peur qui affligeait les habitants même quand ils avaient fermé leurs portes à double tour. « Ouvrez au nom de Yölah et d'Abi, c'est le comité civique de ceci ou de cela ! », voilà le genre d'appel qu'ils ne voulaient jamais entendre. Personne ne savait arrêter la machine : de convocations en interrogatoires on se retrouvait un jour au stade à prendre du nerf de bœuf et des pluies de pierres.

Il faut savoir que les Civiques étaient des comités de vigilance formés par des citoyens, agréés par l'autorité (en l'occurrence le service de la morale publique du ministère de la Morale et de la Justice divine et le bureau des associations civiles d'autodéfense du ministère de la Force publique), qui se donnaient pour but de sanctionner les comportements déviants dans leur quartier, d'assurer la petite police des rues et la justice de proximité ; certains étaient appréciés, comme les Civiques des mœurs, d'autres haïs, en premier les Civiques anti-oisiveté. Il en existait tant et plus, mais beaucoup étaient éphémères, saisonniers, sans objet véritable. Ils avaient un lieu de regroupement, la caserne des Civiques, où ils se reposaient, s'entraînaient et de là lançaient leurs raids sur le quartier.

Tout compte fait, Ati et Koa préféraient chiner dans les banlieues dévastées où régnait encore un peu de pauvre liberté, trop petite pour être efficace, or il en faut beaucoup pour s'attaquer à des secrets sur lesquels reposent des empires inébranlables. Et cela en effet était bien de la révolte à l'état pur, ils étaient arrivés au point où ils envisageaient carrément d'aller un jour vivre dans les ghettos de la mort, ces enclaves lointaines où survivaient des populations antiques, restées accrochées envers et contre tout à de vieilles hérésies disparues même des archives. *« Je leur ai donné la vie et ils m'ont tourné le dos et ont rejoint mon ennemi, le Chitan, le misérable Balis. Ma colère est grande. Nous les repousserons derrière des murs élevés et nous ferons tout pour les faire mourir de la plus horrible façon »*, est-il écrit à leur sujet dans le Livre d'Abi.

S'introduire dans ces territoires paraissait impossible, les militaires patrouillaient sans repos le long des murailles vertigineuses qui les enserraient hermétiquement, et tiraient à vue. Encore fallait-il passer le champ de mines et la barrière étanche de chevaux de frise qui isolaient le ghetto de la ville, échapper aux radars, aux caméras, aux tours de surveillance, aux chiens et, chose tout simplement inconcevable, aux V. Il ne s'agissait pas seulement d'isoler strictement un territoire malsain comme dans une quarantaine mais de protéger les croyants contre les miasmes mortels du Chitan, donc aux armes lourdes on ajoutait la puissance incommensurable des prières et des malédictions.

Les filières pour gagner discrètement le ghetto ne manquaient cependant pas. Elles étaient l'œuvre de la Guilde, le clan des marchands qui approvisionnaient illégalement, donc au prix fort, les ghettos à travers des réseaux touffus de galeries souterraines défendues, disait-on, par des troglodytes chitineux d'une férocité illimitée. Finalement les deux amis franchirent le pas : arrivés où ils en étaient, que faire d'autre ? Ils avaient engagé leurs économies jusqu'au dernier *didi*. Ati, qui manquait de ressources après deux années d'impotence forcée, dut vendre quelques bonnes reliques prises sur des pèlerins croisés dans les montagnes du Sîn.

Dans leur bureau de la mairie, ils se sont établi une patente sous un faux nom et sont allés se présenter à l'agence locale de la Guilde en marchands souhaitant faire de bonnes affaires avec le ghetto. Et un soir, juste après la ronde du guet, ils ont pris la route et rapidement se sont retrouvés devant un puits de bonne taille, astucieusement camouflé, creusé dans l'arrière-cour d'une maison à moitié écroulée jouxtant un antique cimetière réputé pour ses mauvaises rumeurs. Un homoncule parfaitement nyctalope les attendait, il les installa aussitôt dans une nacelle, actionna une sonnerie et deux leviers, et voilà le véhicule entamant une descente vertigineuse dans le ventre de la terre. Une dizaine d'heures plus tard, après mille détours dans une fourmilière cyclopéenne, passant sous le rempart et le champ de mines, ils émergèrent dans le ghetto dit des Renégats, le plus vaste du pays, son simple nom faisait s'évanouir les croyants sensibles et jetait les autorités dans l'hystérie. C'était le matin et le soleil brillait sur le ghetto. L'enclave s'étendait sur plusieurs centaines de *chabirs* carrés au sud de Qodsabad, au-delà du lieu-dit « Les sept sœurs de la désolation », une chaîne de sept mamelons avachis et ravinés qui bordaient le quartier d'Ati. Les Renégats, que les gens appelaient les Regs, nommaient leur monde Hor et eux-mêmes les Hors (qui se prononce *Hour*). Koa pensait que ces vocables étaient des déclinaisons de *hu*, mot du dialecte *habilé*, un idiome antique que baragouinaient encore quelques dizaines de locuteurs dans l'arrière-pays au nord de Qodsabad et que Koa avait un peu étudié. *Hu* ou *hi* signifiait quelque chose comme « maison », « vent » ou encore « mouvement ». Hor serait donc la maison ouverte ou le territoire de la liberté et Hors les habitants de la liberté, les hommes libres comme le vent ou les hommes portés par le vent. Koa se souvenait avoir appris d'un vieil indigène *habilé* que ses lointains ancêtres honoraient un dieu appelé Horos ou Horus, qu'ils représentaient en oiseau, un faucon royal, qui est bien l'image de l'être libre volant dans le vent. Avec le temps et l'érosion des choses, Horos est devenu Hors qui a donné Hor et *hu*. Mais l'homme ne savait pas pourquoi en ces temps effacés les mots pouvaient avoir deux syllabes comme *Ho-ros*, et même trois tel *ha-bi-lé*, voire quatre et plus, jusqu'à dix, alors qu'aujourd'hui toutes les langues ayant cours en Abistan (clandestinement est-il besoin de le rappeler) ne comportaient que des mots d'une syllabe, deux au plus, y compris l'*abilang*, la langue sacrée avec laquelle Yölah avait établi l'Abistan sur la planète. Si d'aucuns avaient pensé qu'avec le temps et le mûrissement des civilisations les langues s'allongeraient, gagneraient en signification et en syllabes, voilà tout le contraire : elles avaient

raccourci, rapetissé, s'étaient réduites à des col-
lections d'onomatopées et d'exclamations, au
demeurant peu fournies, qui sonnaient comme
cris et râles primitifs, ce qui ne permettait aucunement de développer des pensées complexes
et d'accéder par ce chemin à des univers supérieurs. À la fin des fins régnera le silence et il
pèsera lourd, il portera tout le poids des choses
disparues depuis le début du monde et celui
encore plus lourd des choses qui n'auront pas
vu le jour faute de mots sensés pour les nommer. C'était une réflexion en passant, inspirée
par l'atmosphère chaotique du ghetto.

Ce n'est pas le sujet mais il faut en dire un
mot pour l'Histoire : il se racontait beaucoup de
choses sur les ghettos et leurs trafics. On aurait
voulu tout embrouiller pour tout empêcher
qu'on n'aurait pas fait autrement. Il se disait que
derrière la Guilde se profilait l'ombre de l'Honorable Hoc de la Juste Fraternité, directeur du
département du Protocole, des Cérémonies et
des Commémorations, un personnage immense
qui ordonnançait et rythmait la vie du pays,
ainsi que de son fils Kil, connu comme le plus
entreprenant des commerçants de l'Abistan.
Dans certains milieux, on ne s'empêchait pas
de penser que les ghettos étaient une invention
de l'Appareil. La thèse était qu'un régime absolutiste ne pouvait exister et se maintenir que s'il
contrôlait le pays jusque dans ses pensées les
plus intimes, chose irréalisable car, malgré tout

ce qu'il était possible d'inventer en matière de contrôle et de répression, un rêve réussirait un jour à prendre forme puis à s'évader, et alors on verrait naître une opposition, là où on ne l'attendait pas, renforcée dans le combat clandestin, et le peuple qui naturellement se porte à accorder sa sympathie à ceux qui combattent la tyrannie la soutiendrait dès lors que la victoire lui paraîtrait une hypothèse crédible. Le moyen pour le pouvoir de conserver son absolutisme était de prendre les devants et de créer lui-même cette opposition puis de la faire porter par de véritables opposants, qu'il créerait et formerait au besoin et qu'il occuperait ensuite à se garder de leurs propres opposants, des ultras, des dissidents, des lieutenants ambitieux, des héritiers présomptifs pressés d'en finir, qui de partout surgiraient comme par miracle. Quelques crimes anonymes par-ci par-là aideraient à entretenir la machine de guerre. Être son propre ennemi, c'est la garantie de gagner à tous les coups. La chose était certainement difficile à mettre en place mais une fois lancée elle tournerait d'elle-même, tous croiraient à ce qu'on leur donnerait à voir et personne n'échapperait à la suspicion ni à la terreur. Et de fait, beaucoup mourraient de coups qu'ils ne verraient pas venir. Pour que les gens croient et s'accrochent désespérément à leur foi, il faut la guerre, une vraie guerre, qui fait des morts en nombre et qui ne cesse jamais, et un ennemi qu'on ne voit pas ou qu'on voit partout sans le voir nulle part.

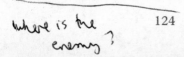
where is the enemy ?

124

L'Ennemi absolu contre lequel l'Abistan menait Guerre sainte sur Guerre sainte depuis la Révélation avait donc une vocation autrement plus importante, il avait permis à la religion de Yölah d'occuper le ciel et la terre dans toute leur étendue. Personne ne l'avait jamais vu mais il existait bel et bien, de fait et par principe. S'il avait eu un visage, un nom, un pays, des frontières avec l'Abistan, c'était en ces temps obscurs d'avant la Révélation. Qui savait de quoi il était fait? Les *NoF* rapportaient chaque jour les échos de cette guerre dans des communiqués haletants que les gens lisaient et commentaient avec avidité, mais comme les Abistani ne sortaient jamais de leur quartier et que le pays n'avait pas de cartes sur lesquelles on aurait visualisé les zones de combat, il avait pu sembler à certains que cette guerre n'avait de vraie réalité que dans les communiqués des *NoF*. C'était frustrant, mais l'arbre se reconnaissant à son fruit, ils voyaient la réalité de la guerre dans les stèles commémoratives qui se dressaient partout, rappelant de grandes batailles, portant les noms des soldats tombés en martyrs. Les noms des disparus dont parfois on retrouvait les cadavres ici et là, dans un ravin, une rivière, un charnier, étaient affichés dans les mairies et les *mockbas*. Le bilan était effroyable et disait bien l'attachement du peuple à sa religion. Les prisonniers connaissaient un triste sort, il se disait que l'armée les rassemblait dans des camps où ils ne tardaient pas à mourir. Des marchands racontaient avoir vu des cohortes infinies de ces captifs sur les routes, conduites vers telle ou telle de ces destinations. Ati pouvait témoigner de cela, au Sîn il avait vu des soldats égorgés, jetés dans les ravins, et sur le chemin du retour le spectacle effarant d'une colonne infinie de prisonniers tractés par une brigade motorisée de l'armée.

Personne ne doutait que les soldats abistani capturés par l'Ennemi subissaient le même sort. La question qui torturait les esprits était celle-ci : où l'Ennemi pouvait-il bien les emmener et comment y parvenait-il dans une si parfaite discrétion?

La Guerre sainte compte bien des mystères.

Le ghetto et ses Renégats, eux, étaient concrets et ne servaient qu'à ceci, au contrôle étroit des croyants dans leur quotidien. Il faut un renard dans les parages pour que le poulailler soit bien gardé. Le désordre qui y régnait était une protection, il était si parfait que rien ne se remarquait. On pouvait sans risque de se faire chicaner par les Civiques, traîner dans les rues, aborder les gens, papoter avec eux, ôter son *burni*, oublier l'heure de la prière, entrer dans un de ces endroits ombreux et bruyants, inconnus en Abistan, où moyennant un *didi* ou un *ril* on vous offrait des boissons chaudes, comme le *ruf* ou la *lik*, ou d'excellentes boissons fraîches dont certaines très appréciées des consommateurs, tel le *zit*, avaient le pouvoir de brouiller le regard et le cerveau. Dans ces lieux, il y avait toujours au fond, derrière un empilement de cageots et de sacs ou un rideau crasseux, un couloir ou un escalier étroit et sombre qui interpellait, on se demandait où il pouvait mener.

Il n'est pas sûr que toutes ces libertés servaient à grand-chose mais c'était excitant en diable. Le plus étonnant est que les Regs qui jouissaient d'une si grande autonomie dans leur capharnaüm aimaient à se rendre à Qodsabad, Our dans leur toponymie, pour écouler leurs produits et des objets du passé très appréciés des notables, et rapporter des friandises à leur famille. Eux aussi empruntaient les tunnels de la Guilde et payaient des passeurs. L'Appareil les traquait sans pitié et il allait sans dire que les capturés finissaient au stade le jeudi suivant, après la grande Imploration. Leur exécution était un spectacle de choix, il faisait l'ouverture des festivités. Une police spéciale, l'AntiRegs, avait été créée à cet effet, elle savait reconnaître ces fantômes, les pister et les appréhender comme il se devait. Il a été constaté que ces êtres rompus à la vie sauvage et au brigandage étaient nettement plus réactifs que les croyants, corsetés dans des routines trop nombreuses et sévères. On ne le disait pas car cela aurait brisé une légende et porté atteinte à la sécurité de l'État, mais il semblait que les V, dont le pouvoir était infini, ne pouvaient pas identifier la signature mentale des Regs, elle se confondait avec celle des chauves-souris dont les ondes ultrasoniques trop puissantes saturaient le radar des V et le brouillaient. Pire, le flux mental des Regs, s'il était spécialement dirigé sur un V, pouvait provoquer chez lui des saignements douloureux, en tout cas humiliants pour des êtres si craints, réputés maîtres de l'invisibilité, de l'ubiquité et de la télépathie. C'étaient là des conjectures, des sujets de conversation, personne n'avait jamais vu de V, encore moins en train de saigner du nez ou des oreilles. Le fait est que les innocents chiroptères faisaient périodiquement l'objet d'un abattage massif, auquel la population participait activement, afin de libérer le ciel de leurs ondes, sauf que la nature les avait dotés d'une autre remarquable aptitude : ils se reproduisaient à la vitesse de l'éclair. C'était donc bien au crépuscule, lorsque les petits vampires se réveillaient et partaient à la chasse, que les Hors sortaient de leur ghetto et envahissaient Qodsabad où les attendaient complices et clients, et c'est à l'aube qu'ils refluaient quand les chauves-souris repues retournaient dans leurs grottes. On comprend pourquoi les Hors révéraient cet animal.

L'armée avait sa part dans l'extermination des Regs, son artillerie, ses vieux hélicoptères et ses drones bombardaient régulièrement le ghetto, lors notamment des grandes commémorations, quand la population de Qodsabad massée dans les *mockbas* et les stades était au maximum de l'excitation. Là aussi, il se racontait des choses : les hélicoptères de l'armée balanceraient leurs engins au hasard, dans les terrains vagues plutôt qu'au centre du ghetto, sur les habitations

128

et les abris, les bombes et les obus seraient sous-chargés en poudre, ils feraient du bruit, des blessés, quelques morts mais sans plus, etc., les propositions ne manquaient pas. L'explication était que la Guilde militait pour une destruction symbolique des Regs, conforme à l'esprit de bonté du *Gkabul*; ils étaient certes d'abominables créatures, impies et sales, mais aussi de bons clients, déjà prisonniers dans leurs horribles ghettos, épargner leur vie n'était pas si bête, plaidait-elle à tous les étages où elle savait se faire entendre. Entre commerce et religion la connivence est toujours possible, l'une n'allait pas sans l'autre. De là à conclure que la Guilde soudoyait les capitaines de l'armée et avertissait les Regs des raids préparés contre eux, il n'y avait qu'un pas. L'équation était complexe : l'Abistan avait besoin de ses Regs pour vivre comme il avait besoin de les tuer pour exister.

Le ghetto de Qodsabad avait un charme certain alors même qu'il était dans un état épouvantable, pas une bâtisse ne tenait debout par elle-même, des forêts de béquilles et d'attelles assemblées à la diable les maintenaient péniblement en équilibre. Partout, des montagnes de gravats racontaient des effondrements récents et d'autres anciens, et dans les deux cas des malheurs injustes. Des enfants haillonneux jouaient à la grimpette et fouillaient les décombres à la recherche d'un truc à vendre. La saleté avait trouvé son royaume, en maints endroits les ordures s'amoncelaient jusqu'aux toits des maisons, ailleurs elles tapissaient le sol jusqu'aux genoux. L'enfouissement ayant atteint ses limites depuis longtemps, on ne pouvait ni les évacuer ni les brûler (le ghetto serait parti en fumée avec sa population) et donc elles s'entassaient à l'air libre, poussées de-ci de-là par le vent et ainsi le ghetto s'élevait sur ses ordures et ses remblais. L'obscurité régnait de jour comme de nuit. À l'absence de courant électrique l'enfermement ajoutait son sinistre effet, de même que l'étroitesse des rues, l'urbanisme chaotique, les destructions, les beuglements des cornes d'alarme, les bombardements intempestifs, les heures lourdes passées dans les abris, et le reste qui prolifère dans les villes assiégées. Tout cela assombrissait la vie et lui mettait des freins puissants. Il n'empêche, il y avait de l'entrain, il y avait une culture de la résistance, une économie de la débrouille, un petit monde qui s'agitait sans répit et trouvait le moyen de survivre et d'espérer. La vie ne faisait pas que passer, elle cherchait, s'accrochait, inventait, affrontait toutes sortes de défis et recommençait autant qu'il était humainement possible. Il y aurait beaucoup à dire sur le ghetto, ses réalités et ses mystères, ses atouts et ses vices, ses drames et ses espoirs, mais réellement la chose la plus extraordinaire, jamais vue à Qodsabad, était celle-ci : la présence des femmes dans les rues, reconnaissables comme femmes humaines et non comme ombres filantes, c'est-à-dire

women !!

130

qu'elles ne portaient ni masque ni *burniqab* et clairement pas de bandages sous leurs chemises. Mieux, elles étaient libres de leurs mouvements, vaquaient à leurs tâches domestiques dans la rue, en tenues débraillées comme si elles étaient dans leurs chambres, faisaient du commerce sur la place publique, participaient à la défense civile, chantaient à l'ouvrage, papotaient à la pause et se doraient au faible soleil du ghetto car en plus elles savaient prendre du temps pour s'adonner à la coquetterie. Ati et Koa étaient si émus lorsqu'une femme les approchait pour leur proposer quelque article qu'ils baissaient la tête et tremblaient de tous leurs membres. C'était la vie à l'envers, ils ne savaient comment se tenir. Les reconnaissant pour ce qu'ils étaient, des empotés d'Abistani ne connaissant que l'*abilang*, elles leur parlaient dans leur patois, un baragouin très chuintant, appuyant la parole de gestes précis, agitant d'une main l'article à vendre et de l'autre indiquant avec les doigts le nombre de *rils* à compter pour l'avoir tout en lançant des regards malins au public comme si elles sollicitaient ses applaudissements. La conversation ne pouvant aller plus loin, Koa ayant épuisé son stock de dialectes attrapés lors de ses séjours linguistiques dans les banlieues dévastées, les amis achetaient ce qu'ils pouvaient acheter et évitaient dorénavant de se laisser aborder par les femmes, encore plus par les gamins qui savaient dépecer le gogo en moins de temps qu'il ne fallait à leurs mères pour décapiter un poulet.

131

La langue sacrée était comprise dans le ghetto par quelques Regs, qui traitaient avec les représentants de la Guilde et avaient l'habitude de passer à Qodsabad pour leur petite contrebande. Mais ce qu'ils en savaient se limitait au commercial et se disait en chiffres et en gestes. La grande masse n'y entendait que pouic, la langue sacrée n'exerçait aucun effet sur elle, même si on lui versait tout le *Gkabul* dans l'oreille. Dirait-on qu'elle n'agissait que sur les croyants ? Ce n'était pas recevable, le *Gkabul* est universel et Yölah est le maître de l'univers en son entier, comme Abi est son Délégué exclusif sur terre. Le sourd est bien celui qui n'entend pas.

Nous l'avons gardée pour la fin car la chose est horrifiante même pour des croyants affranchis (disons dubitatifs) : les murs du ghetto étaient couverts de graffitis tracés au clou, dessinés au charbon ou... horreur, avec des excréments humains, moquant l'Abistan, ses croyances et ses pratiques, écrits dans l'une ou l'autre langue usitée dans le ghetto. Les dessins obscènes ne manquaient pas, ils étaient lisibles par eux-mêmes. Sur des murs, ici et là, des graffitis en *habilé* que Koa put déchiffrer ; du blasphème à l'état pur qu'on ne rapportera pas. Ils disaient : « Mort à Bigaye », « Bigaye est un bouffon », « Bigaye, roi des aveugles ou prince des ténèbres ? », « Abi = Bia ! » (en *habilé*, *bia* veut dire quelque chose comme : « rat porteur de la peste » ou « homme retourné » (!), « Vive

Balis », « Balis vaincra », « Balis héros, Abi zéro »,
« Yölah c'est du vent ». Ati et Koa avaient hâte
d'oublier ces horreurs, leur souvenir dans leur
mémoire les signalerait aux V à leur retour à
Qodsabad, leur sonar n'aurait pas à les scanner
longtemps pour disjoncter. Nos amis en tremblaient.

Pour Qodsabad, c'est évidemment dans ce
ghetto de la mort que Balis se terrait depuis
que Yölah l'avait chassé du ciel. La grande
peur des Abistani, en premier lieu des habitants de Qodsabad, était que Balis et son armée
s'échappent du ghetto et se répandent à travers
la terre sacrée de l'Abistan. Ils ne pourraient
évidemment rien contre Abi qui jouissait de la
haute protection de Yölah, sans compter son
invincible Légion, mais ils feraient beaucoup
de mal aux petites gens. Il semblait finalement
que toute cette armada autour du ghetto, ces
contrôles et ces soi-disant bombardements meurtriers, sans oublier ce blocus ridicule, visaient
plus à rassurer le bon peuple de l'Abistan qu'à
empêcher le déferlement des Regs sur Qodsabad.
L'Appareil avait l'art de faire une chose à la place
d'une autre et de donner à croire à l'occurrence
inverse.

Rappelons que la petite idée d'Ati et de Koa
était de comprendre ces choses vaseuses dont
leurs têtes étaient pleines : *quel rapport existe-t-il
entre religion et langue ? La religion se conçoit-elle*

sans une langue sacrée ? Qui de la religion et de la langue vient en premier ? Qu'est-ce qui fait le croyant : la parole de la religion ou la musique de la langue ? Est-ce la religion qui se crée un langage spécial par besoin de sophistication et de manipulation mentale, ou est-ce la langue qui atteignant un niveau élevé de perfection s'invente un univers idéal et fatalement le sacralise ? Le postulat selon lequel « Qui a une arme finit par l'utiliser » est-il toujours valable ? Autrement dit la religion est-elle intrinsèquement tournée vers la dictature et le meurtre ? Mais il ne s'agissait pas de théorie générale, la question précise était celle-ci : est-ce l'abilang *qui a créé le* Gkabul *ou l'inverse ?* On n'imagine pas la simultanéité, l'œuf et la poule ne naissent pas en même temps, l'un doit précéder l'autre. Ce ne pouvait en l'occurrence être le hasard, tout dans l'histoire du *Gkabul* montrait qu'il y avait un plan au départ dont les ambitions avaient été croissantes. Autres questions : quid *des langues vulgaires, qu'avaient-elles inventé, qu'est-ce qui les avait créées ? La science et le matérialisme ? La biologie et le naturalisme ? La magie et le chamanisme ? La poésie et le sensualisme ? La philosophie et l'athéisme ? Mais que veulent dire ces choses ? Et qu'ont à voir là-dedans la science, la biologie, la magie, la poésie, la philosophie ? N'ont-elles pas été également bannies par le* Gkabul *et ignorées par* l'abilang *?*

Ils se rendaient compte que ce passe-temps était dangereux en plus d'être futile et ennuyeux. Mais que faire quand il n'y a rien à faire, sinon des choses inutiles et vaines ? Et fatalement dangereuses.

Et certainement elles l'étaient, pensaient-ils lorsqu'ils se retrouvèrent de nouveau, cent *siccas* sous terre, dans le dédale cyclopéen des galeries souterraines et quelques heures plus tard dans la vieille maison écroulée en marge du cimetière, au sud des « Sept sœurs de la désolation », au moment où chouettes et chauves-souris emplissaient silencieusement le ciel de leurs ombres furtives. Dans pareilles situations, en ces crépuscules gris et froids, c'est le monde en son entier qui paraît se trouver en danger de mort imminente.

Le retour dans la lumière de Qodsabad fut un soulagement, une angoisse et une indicible fierté. D'un côté l'affaire était banale : les deux amis avaient fait une virée dans le ghetto, ce que faisaient quotidiennement les agents de la Guilde qui allaient percevoir des bénéfices, enregistrer des commandes et au passage taquiner la Renégate comme, dans l'autre sens, les petits contrebandiers du ghetto venaient chaque jour à Qodsabad écouler leurs articles et piquer des poules. Mais de l'autre côté, l'affaire était extraordinaire, Ati et Koa avaient franchi la barrière du temps et de l'espace, la frontière interdite, ils étaient passés du monde de Yölah chez Balis, et cela sans que le ciel leur tombât sur la tête.

Le plus dur pour eux, au travail et dans leur quartier, serait de paraître naturels et de réussir à abuser les juges de l'Inspection morale et les Civiques, alors que tout en eux, leur façon d'être et de respirer, sentait dorénavant la Faute. Ils portaient collée à leurs *burnis* et à leurs sandales l'odeur unique et ineffaçable du ghetto.

De leur odyssée dans ce monde interdit, ils rapportaient quatre enseignements bouleversants. 1) Sous les murs de séparation se déploient des tunnels de liaison. 2) Les ghettos sont peuplés d'êtres humains, nés de parents humains. 3) La frontière est une hérésie inventée par les croyants. 4) L'homme peut vivre sans religion et mourir sans l'assistance d'un prêtre. ⌐ laïcité

Et ils rapportaient la réponse à une vieille énigme : le mot Bigaye, qui avait tant choqué quand on l'avait découvert gribouillé par une main insolente sur un des dix milliards de posters d'Abi placardés sur les murs de l'Abistan, était d'usage courant dans le ghetto. Le coupable était certainement un Reg qui avant de retourner dans son terrier avait voulu laisser la trace de son intrusion en Abistan. L'homme qui avait été arrêté et exécuté était sans doute un pauvre quidam capturé au hasard des rues. Par comparaison, Koa comprit que Bigaye était un mot d'un argot issu de l'*habilé* qui voulait dire quelque chose comme « Grand frère », « Vieux chenapan », « Bon camarade », « Grand chef ». L'expression *« Big Eye »* utilisée dans le décret de la Juste Fraternité n'était donc pas correcte, en tout cas elle n'existait dans aucune des langues de l'Abistan ou du ghetto, elle se rattachait probablement à une langue ancienne parmi celles qui s'étaient éteintes lors du Char, la première Grande Guerre sainte, qui avait vu disparaître la totalité des populations du nord, rétives au *Gkabul*. Ati en avait déduit que le texte gravé dans la pierre au-dessus du pont-levis du sanatorium était écrit dans cette langue, puisque la forteresse datait de cette époque, voire plus avant, et que le symbole « 1984 » indiquait peut-être autre chose qu'une date. Mais à vrai dire il était impossible de trancher, la notion de date, comme celle d'âge, était inaccessible aux Abistani, pour eux le temps est un, indivisible, immobile et invisible, le début est la fin et la fin est le début et aujourd'hui est toujours aujourd'hui. Une exception pourtant : 2084. Ce nombre était dans toutes les têtes comme une vérité éternelle, donc comme un mystère inviolable, il y aurait donc un 2084 dans l'immobilité immense du temps, tout seul, mais comment situer dans le temps ce qui est éternel ? Ils n'en avaient fichtre pas la moindre idée.

Ati et Koa se disaient entre eux qu'ils devraient un jour retourner au ghetto pour en apprendre davantage.

LIVRE 3

*Dans lequel de nouveaux signes apparaissent
dans le ciel de l'Abistan, ajoutant des légendes
à la Légende, prodige qui incitera Ati à entreprendre un nouveau voyage, jalonné de mystères et de malheurs. L'amitié, l'amour, la
vérité sont des ressorts puissants pour aller de
l'avant, mais que peuvent-ils dans un monde
gouverné par des lois non humaines?*

Ce fut un coup de tonnerre dans le ciel ensom-
meillé de l'Abistan. Ah ça, il y eut de la bouscu-
lade et de la redite! L'information fit mille fois le
tour du pays en une petite semaine de sept jours,
par les *nadirs*, par les gazettes, par les *NoF*, par
les *mockbas* mobilisées vingt-quatre heures sur
vingt-quatre, sans compter les crieurs publics qui
ne ménagèrent pas leurs gosiers ni leurs méga-
phones. Sur instruction d'Abi, l'Honorable Duc,
Grand Commandeur de la Juste Fraternité,
décréta quarante et un jours de liesse ininterrompue. De gigantesques prières collectives et
autant de cérémonies votives furent organisées
afin de rendre grâces à Yölah pour le merveilleux
présent qu'il offrait à son peuple. Une souscription publique fut lancée à l'effet de lui construire
un bel écrin, qui dans la semaine rapporta l'équi-
valent du budget de l'État. Les gens auraient
donné plus si un communiqué du gouvernement
n'était venu les appeler à la modération, il fallait
en garder un peu pour le reste.

141

Si on mettait de côté ce que les voix institutionnelles avaient ajouté à l'information pertinente, plusieurs milliers de pages explicatives dans la presse écrite et des centaines d'heures de doctes commentaires dans les *nadirs*, on trouvait le cœur de l'affaire : *un nouveau lieu saint de première importance avait été découvert!* Après quelques menus travaux, financés par la souscription, il serait prochainement ouvert au pèlerinage, précisait aussitôt une publicité tapageuse, créant un immense engouement populaire et un non moins colossal mouvement d'affaires. Elle annonçait le chiffre faramineux de vingt millions de pénitents dès la première année, trente la deuxième et quarante les années suivantes. Les réservations étaient prises pour les dix prochaines années. Tout s'était emballé, les gens s'énervaient, les prix flambaient, ceux des *burnis*, des besaces, des babouches et des bourdons atteignaient des niveaux fous, la pénurie menaçait. Une ère nouvelle était en route.

Ce n'était pas tout, les historiens de la religion, les docteurs de la loi et les Grands *Mockbis* auraient beaucoup à faire dans les décennies à venir, ils affûtaient déjà leurs plumes et stockaient du papier, ils devraient réécrire l'histoire de l'Abistan et du *Gkabul*, réviser les discours fondateurs, voire plus, retoucher des chapitres du Saint Livre. Abi lui-même avait reconnu que sa mémoire avait pu faillir, sa vie avait été trépidante, si complexe, c'est une planète entière qu'il gouvernait et Yölah est exigeant.

Le nouveau lieu saint n'était pas quelconque, il apportait de l'inédit, il modifiait des perspectives. Un exemple parmi cent : dans la version courante du *Gkabul*, Qodsabad était au centre de l'Histoire, or la vérité était autre, Qodsabad n'existait pas avant la Révélation, en ce lieu était une mégapole prospère appelée Our, l'actuel ghetto de Qodsabad, et Abi vivait dans une autre région. C'est plus tard, conduit par ses activités commerciales, qu'il vint s'établir à Our. La nouvelle mouture du Saint Livre devrait intégrer le fait qu'Abi s'était caché plusieurs années dans ce village miraculeux après qu'il avait fui Our, menacé qu'il était par les seigneurs de cette ville corrompue, acquise à Balis et à l'Ennemi. En ce temps, Balis s'appelait encore le Chitan et l'Ennemi n'était que l'ennemi, il n'avait pas l'aura mythique qu'il a à présent, c'était un conglomérat de peuples dégénérés et barbares dont les terres s'appelaient les Hautes Régions Unies du Nord, la Lig en *abilang*. Il aurait peut-être suffi d'attendre qu'ils meurent d'eux-mêmes, leur fin aurait été assez triste, mais le mal était en eux, il pouvait atteindre les croyants et les pervertir. C'était dans ce village, dans la simplicité de sa nouvelle vie, qu'Abi avait commencé à entendre et à faire entendre le message d'un nouveau dieu, Yölah, qui en ce temps ne se nommait pas autrement que Dieu. Son message était lumineux, il tenait en un slogan : « Dieu est tout et tout est en Dieu. » C'était une belle façon de dire qu'il n'y avait de dieu que Dieu. Rappelons qu'Abi lui-même portait un autre nom, on ne sait lequel, qu'il changea en Abi, qui signifie Père aimé des croyants, lorsque Dieu le reconnut comme son unique et ultime messager.

C'est seulement lorsque la moisson de prosélytes atteindra la masse critique à même d'enclencher la réaction en chaîne qui pulvérisera l'ancien monde que Dieu révélera son nom : Yölah, par lequel il règne par-dessus l'éternité. C'est encore dans ce village qu'une nuit, dans un flash de lumière, il lui enseignera la langue sacrée avec laquelle il aura à rassembler les hommes dispersés par le monde et à les amener repentants et reconnaissants dans la voie du *Gkabul*. Il lui apprendra que la foi ne suffit pas, si intense qu'il soit le feu s'éteint, et les hommes sont pénibles, il faut les subjuguer comme on charme les serpents et s'en garder, et pour cela il fallait une langue puissante, durablement hypnotique. Abi y ajouta deux ou trois inventions de son cru et la baptisa *abilang*. Il vérifia sa puissance sur ses propres compagnons : après quelques leçons les pauvres diables qu'ils étaient, effrayés par l'idée que Dieu existait et les observait, se transformèrent en commandeurs au charisme infernal, ils jonglaient avec la rhétorique et la ruse de guerre. Koa avait fait la même expérience sur des enfants dans une banlieue dévastée et obtenu le même foudroyant résultat, les petits ignorants n'étaient plus reconnaissables après un mois de cours. *« Avec la langue sacrée mes adeptes seront vaillants jusqu'à la mort, ils n'auront besoin de rien de plus que les mots de Yölah pour dominer le monde. Comme ils ont fait de mes compagnons des commandeurs de génie, ils feront d'eux des soldats d'élite, la victoire sera prompte, totale et définitive »*, dit-il, ainsi qu'il est rapporté dans le Livre d'Abi, titre 5, chapitre 12, versets 96 et suivants. C'est de ce village, avec cet embryon d'armée, qu'il lancerait le Char, la première Grande Guerre sainte du *Gkabul*. On pouvait se demander comment Abi avait pu oublier ce refuge qui avait décidé de sa carrière et du devenir de l'humanité mais personne ne s'était posé la question, Abi était le Délégué, Yölah l'inspirait en toute circonstance.

Plus tard, quand Abi établira la Juste Fraternité et en fera son cabinet et l'instance suprême de l'État, placée au-dessus de toutes les institutions religieuses et gouvernementales, il instituera l'*abilang* langue officielle universelle et décrétera sauvage et sacrilège tout autre idiome sur l'ensemble de la planète. L'Histoire ne dit pas qui a créé l'Appareil, quelle était sa fonction, quelle était sa place sur l'échiquier et qui le dirigeait, ceux qui ont cherché n'ont pas trouvé et n'ont plus insisté.

L'Honorable Rob, alors porte-parole de la Juste Fraternité et gouverneur de la communication d'Abi, expliqua à travers la presse et dans un discours très émouvant à la Grande Mockba de Qodsabad que le cher Délégué était réellement persuadé que ce village qui l'avait si fraternellement accueilli, prenant en cela des risques énormes eu égard à la dangerosité d'Our, avait été détruit dans l'une ou l'autre Guerre sainte et rasé par l'Ennemi, voilà pourquoi il n'en avait soufflé mot jusqu'à cette année, après qu'un ange envoyé par Yölah l'eut visité en songe pour lui apprendre que le bon village était toujours là, debout sur ses pieds, et qu'il gardait encore l'odeur suave de son passage. Ébloui par tant de mansuétude divine, Abi diligenta sur-le-champ une mission de reconnaissance. Le village était bien là, tel qu'il l'avait vu en rêve, pimpant, baignant dans une lumière surnaturelle. Abi en pleura lorsqu'on lui projeta le film réalisé sur le site et qu'il reconnut l'humble demeure que les habitants avaient mise à sa disposition et la non moins modeste *mockba* toute rigolote avec son air païen qu'ils avaient construite dans la joie lorsqu'il les avait convertis au *Gkabul*. Enthousiaste qu'il était, il pressa l'Honorable Hoc d'ordonner au ministre des Sacrifices et Pèlerinages de tout mettre en œuvre pour que rapidement les croyants méritants puissent visiter le bienheureux village et s'en réjouir.

À l'Honorable Dia, le mystérieux Dia, membre si influent de la Juste Fraternité et chef du département des Enquêtes sur les miracles, il demanda de mener toutes investigations appropriées et de conclure que l'état de conservation du village relevait du prodige et que le phénomène avait à voir avec le fait qu'il y avait séjourné. Ce que Dia fit en peu de temps. Les croyants se montrèrent unanimes pour crier au miracle et demander son homologation. La rue abistanaise, une fois de plus, montrait son infaillible longanimité. En gage de reconnaissance, Abi octroya à Dia le titre d'« Honorable parmi les Honorables » et une concession héréditaire sur le pèlerinage dans ce lieu saint. Les Honorables firent grande joie à leur puissant confrère, il avait pris de l'avance et imposé la révision de tout le jeu des alliances, le monde de la Juste Fraternité et de l'Appareil tournerait dorénavant pour ou contre Dia.

En clôture des festivités, on procéda à l'exécution de quelques milliers de prisonniers – du renégat, de la canaille, du fornicateur, des gens indignes. On vida les prisons et les camps et on organisa d'interminables défilés dans les rues pour que le peuple prenne sa part de l'holocauste. Le Grand *Mockbi* de la Grande Mockba de Qodsabad inaugura le saint carnage sous l'œil concupiscent des caméras en égorgeant de sa main un sinistre bandit, hirsute et dépenaillé, trouvé dans quelque asile de fortune. Le misérable avait la peau dure, le frêle vieillard dut s'y reprendre à dix fois avant d'atteindre la trachée.

Dès l'annonce de la découverte du village, Ati comprit que l'affaire avait un lien avec le site archéologique sur lequel travaillait Nas. Il

147

truth different to picture put out by the state

s'en étonna, sans plus. Telle que racontée par les médias, l'histoire ne correspondait que peu à ce que Nas lui avait appris au cours de leur long voyage de retour sur Qodsabad, savoir que le village avait tout bêtement été découvert par des pèlerins, qu'aucun ange n'avait alertés : ils avaient été déviés de leur chemin par des pluies diluviennes, elles avaient inondé de vastes zones, coupé les routes, brouillé les repères, ajoutant le danger à la désolation. Le contournement de la zone turbulente les fit passer par des lieux si tristes qu'il était impossible d'imaginer que des humains aient pu un jour s'y fixer. En cherchant un endroit abrité des bourrasques pour se reposer et accomplir leurs dévotions, ils tombèrent sur le village. Il paraissait vivant, était souriant, même, n'avait pas une ride, on eût dit que ses habitants s'étaient absentés pour quelque course et qu'ils reviendraient tantôt. Les pénitents se rendirent vite à l'évidence, ils étaient dans un village mort, comme embaumé, que son isolement drastique et la sécheresse du climat avaient préservé des atteintes du temps et des hommes. Il était visible que ses habitants l'avaient précipitamment abandonné. À certains signes, des tables dressées pour le repas, des bancs renversés dans ce qui ressemblait à une *midra*, des portes béantes, il pouvait être le matin, entre la troisième et la quatrième prière, lorsqu'ils avaient quitté les lieux. Quand? Il y avait fort longtemps, c'était tout ce qu'il était possible de dire, quelque chose dans l'air sentait l'antique et le lointain dans ce que ces repères spatio-temporels ont d'incertain et de mystique. Mais peut-être l'oppression venait-elle seulement de l'infinie solitude des lieux. Nas avait dit qu'en arrivant au village il avait eu l'impression d'avoir été projeté dans une autre dimension. Les pèlerins décidèrent de s'y fixer le temps que la tempête recule et en profitèrent pour explorer le surprenant village et, le soir autour du feu, se remémorer de vieilles légendes chassées des mémoires. ⟶ *State cover up*

Arrivés au camp, ils racontèrent leur découverte avec de grands yeux et en appui de leurs dires exhibèrent divers objets ramassés dans le site, des babioles mais aussi des choses insolites. Lesquelles, bon sang, personne ne le disait ! L'affaire n'étant pas quelconque, le prévôt du camp confisqua lesdits objets, fit rapport à sa hiérarchie, et quelques semaines plus tard une mission de Qodsabad dirigée par Nas se présenta au camp. Une autre, héliportée, celle-ci diligentée par l'Appareil, devait rattraper les pèlerins et procéder sur eux à un débriefing express suivi d'une mise en quarantaine dans un lieu secret. Pas un journal, pas un *nadir* n'a parlé de cela, la disparition mystérieuse des habitants du village, les objets bizarres trouvés sur le site ou l'injuste confinement des pèlerins. Le commissaire de la foi, le guide et les gardes qui avaient pris sur eux de sortir de la route officielle furent sévèrement punis, le pèlerinage avait son chemin consacré, avec sa longueur et ses épreuves, il comptait autant que le but, le lieu saint, aucune force au monde ne pouvait le changer, Abi lui-même ne le pourrait, ne le ferait.

Nas fut donc le premier à examiner les objets prélevés par les pèlerins et à entrer dans le village. Ce qu'il découvrit le plongea dans une profonde réflexion. Il refusait d'en dire plus pendant qu'Ati le pressait de tous côtés. Leur amitié récente n'autorisait pas un manquement à la règle du secret à laquelle l'obligeaient ses fonctions d'enquêteur assermenté du ministère des Archives, des Livres sacrés et des Mémoires saintes. C'est le regard perdu dans le vague et la lèvre tremblante qu'un soir autour du feu il se laissa aller à dire que cette découverte pouvait ébranler les fondements symboliques de l'Abistan, auquel cas le gouvernement de la Juste Fraternité prendrait des mesures très éprouvantes – déportations massives, immenses destructions, restrictions étouffantes – pour maintenir l'ordre dans son innocence première. La déclaration avait fait sourire Ati, un village est un village, une parenthèse dans le désert, l'histoire d'une poignée de familles oubliées sur la route de la ville. C'est leur sort, aux villages, ils disparaissent dans la poussière des ans ou la ville les rattrape et les avale d'une bouchée, personne ne les pleure longtemps. Nas avait sous-estimé le gouvernement, il n'aurait jamais pensé qu'il trouverait aussi facilement la solution idéale : élever le village au rang de lieu saint, et le tour était joué, ainsi sanctifié et mis en lumière il serait à l'abri de tout regard hypocrite, de tout questionnement sacrilège. Le Système n'est jamais ébranlé par la révélation d'un fait gênant, mais renforcé par la récupération de ce fait.

À vrai dire, Nas pensait à autre chose, au triste sort qui attendait les témoins, appelés qu'ils étaient à disparaître les uns après les autres, le guide et les gardes, le prévôt du camp et ses adjoints. Livrés à eux-mêmes, les pèlerins se perdraient dans le désert et ne tarderaient guère à périr. Les *nadirs* rapporteraient la tragédie qui donnerait lieu à neuf jours de deuil national. Ils sont morts en martyrs, c'est l'essentiel, dirait-on à la clôture des cérémonies. Et il pensait à lui, qui était un témoin phare, il n'avait pas seulement vu, il avait compris la signification profonde de ce qu'il voyait.

Inutile de demander le nom du village. On ne le connaît pas – c'est une perte –, il a été effacé et remplacé par un nom abistanais. La Juste Fraternité réunie en assemblée solennelle l'a baptisé Mab, qui vient de *med Abi*, le refuge d'Abi. Depuis la formation de l'Abistan, les noms de lieux, de gens et de choses des époques antérieures ont été bannis, de même que les langues, les traditions et le reste, c'est la loi, il n'y avait pas de raison de faire exception pour ce village, d'autant moins qu'il a été élevé au rang de lieu saint privilégié de l'Abistan.

Passé l'émotion provoquée par l'annonce de la découverte du village et par la montée de fierté pour son ami Nas dont le nom resterait à jamais associé au prodige, Ati se remémora plusieurs choses. Il se souvenait que Nas lui avait dit que le village n'était pas abistanais, il n'avait été ni construit ni habité par eux, mille détails l'attestaient, l'architecture, le mobilier, les vêtements, la vaisselle. Ce qui semblait être une *midra* et une *mockba* était tout autrement disposé qu'en Abistan. Les documents, livres, almanachs, cartes postales et autres supports était écrits dans une langue inconnue. Qui étaient ces gens, de quelle histoire, de quelle époque étaient-ils issus, comment étaient-ils arrivés en Abistan, le monde des croyants? L'archéologue qu'il était fut plus qu'étonné par l'état de conservation du village et l'absence d'ossements humains. Bien des hypothèses étaient envisagées mais aucune n'était satisfaisante. Première idée : le village avait été attaqué et ses habitants avaient été rassemblés et déportés Dieu sait où. Soit, mais on ne voyait aucune trace de lutte ou de pillage; et si dans la bataille des villageois avaient été tués, où étaient leurs cadavres? Autre possibilité : les habitants étaient partis d'eux-mêmes, mais pourquoi l'auraient-ils fait précipitamment? La quiétude semblait avoir été leur cadre de vie et leur ligne de conduite.

Ati et Koa en discutèrent longuement. L'hypothèse du miracle ne les retint pas une seconde, ils préféraient celle du climat invariablement sec pour expliquer l'état du village et celle, peu vraisemblable mais très romanesque, qui expliquait l'absence d'ossements humains par la possibilité que le village soit encore habité par quelques derniers survivants. L'histoire donnerait ceci : pour une raison x les villageois ont un jour fui leur village ; ils ont péri en route ou se sont disputés quant à la voie à suivre, toujours est-il que quelques-uns, épuisés et désespérés, ont rebroussé chemin et en leur foyer retrouvé ont mené une vie recluse, courant à la moindre alerte se cacher dans le désert et dans les montagnes. En entendant de loin l'armada de pèlerins débouler sur eux comme une crue, les malheureux naufragés ont crié à la fin. S'il en a été ainsi, où sont-ils maintenant que leur havre est envahi, occupé, transformé, gardé comme le graal ? Sont-ils morts dans le désert ? Auraient-ils rejoint une mégapole avec l'idée de se fondre dans la première foule ? Sans doute, mais quelle chance avaient-ils de tromper ce monde rébarbatif et soupçonneux, comment échapper à l'administration, aux Civiques, aux V, aux espions de l'Appareil, aux AntiRegs, aux patrouilles de l'armée, aux Croyants justiciers bénévoles, aux Miliciens volontaires, aux juges de l'Inspection morale, aux *mockbis* et à leurs répétiteurs, aux dénonciateurs divers, à ces voisins qu'aucun mur, aucune porte ne décourage ? Ces naufragés perdus dans l'inconnu savaient-ils ces choses, savaient-ils que Bigaye voyait tout de son œil magique et que les *nadirs* ne faisaient pas que diffuser des images (ils filmaient ceux qui les regardaient et captaient leurs pensées)? Dans tous les cas, la fin était inéluctable car comme cela s'imagine assez ils n'étaient pas adeptes du *Gkabul* et parlaient des langues interdites. Le mieux pour eux et pour la survie de leur espèce était de rejoindre dare-dare le ghetto le plus proche, s'il en restait dans leur région. Peut-être l'avaient-ils fait, peut-être avaient-ils trouvé un endroit plus totalement isolé que l'était leur village et s'étaient-ils construit une retraite à toute épreuve. Ati savait combien le pays était immense et incroyablement vide de vie, rien n'était plus facile que de s'y perdre à jamais, n'étaient ces nuées de pèlerins aveuglés par leur foi impétueuse qui le sillonnaient de confins en confins.

Ce sont ces réflexions qui amenèrent Ati à concevoir le projet de rendre visite à Nas dans son ministère, la seule adresse qu'il connaisse de lui. Il s'en ouvrit à Koa et les voilà échafaudant plan sur plan. N'étant jamais sortis de leur quartier, chose interdite par une loi d'autant plus sévère qu'elle était non écrite et que personne n'en connaissait les termes, ils ne savaient diable quelle direction prendre ni à qui demander le chemin du ministère, et ils ne voyaient fichtre pas comment ils franchiraient les obstacles qui se dresseraient devant eux à chaque coin de rue. Ils prenaient conscience qu'ils ne connaissaient pas Qodsabad, n'imaginaient pas à quoi elle ressemblait et quels gens y vivaient. Jusqu'alors le monde n'était pour eux que la continuation de leur quartier, or l'existence de l'imprenable ghetto et celle du mystérieux village montraient que le Système recelait des failles et bien des univers cachés. Sur la route du sanatorium, Ati avait vu combien le vide habitait l'Abistan, un vide oppressant qui semblait fait des murmures d'une multitude de mondes parallèles escamotés par une magie surpuissante. L'esprit absolutiste du *Gkabul*? La pensée irradiante de Bigaye? Le souffle purificateur des Grandes Guerres saintes?

Yölah est grand et son monde bien compliqué.

Il restait à trouver le moyen de sortir du quartier et de rejoindre le ministère des Archives, des Livres sacrés et des Mémoires saintes.

C'était un peu l'heure du bilan, Ati et Koa faisaient le compte des crimes et des délits commis par eux ces derniers temps. L'affaire n'était pas reluisante : en ne considérant que l'équipée dans le ghetto, l'infernal terrier de Balis et des Regs, il y avait de quoi les envoyer dix fois au stade. Il faudrait ajouter le reste, l'histoire de la patente, l'effraction, le faux en écriture publique, l'usurpation de fonction, le trafic en bande organisée, le recel et autres petits crimes collatéraux pour la bonne mesure. Inutile d'espérer la moindre compréhension, la mairie, la Guilde, la *mockba*, les juges de l'Inspection morale, les collègues et les voisins se présenteraient en accusateurs acharnés, ils crieraient à la tromperie, à la mécréance, à l'abjuration. Au stade, la foule serait déchaînée, elle voudrait piétiner leurs cadavres et les traîner par les rues jusqu'à ce qu'il ne reste rien d'eux qu'un peu de chair sur les os que les chiens se disputeraient. Les Croyants justiciers bénévoles se feraient une belle réputation sur ce coup, ils déclencheraient un pogrom dans le quartier qui ferait date.

À aucun moment pourtant les deux amis n'avaient eu de pensées subversives, encore moins mécréantes, ils voulaient simplement savoir dans quel monde ils vivaient, non pour le combattre, ce qui n'était à la portée de personne, homme ou dieu, mais pour l'endurer en connaissance de cause, pour le visiter si possible. Une douleur qui porte un nom est une douleur supportable, la mort elle-même peut être vue comme un remède si on sait bien nommer les choses. Oui, c'est vrai (et c'est une hérésie lourde), ils avaient caressé l'espoir de fuir ce monde ; chose folle, impossible, ce monde était si vaste qu'il se perdait à l'infini, combien de vies faudrait-il enchaîner pour en sortir ? Mais ainsi est l'espérance, elle va à l'encontre du principe de réalité, ils se disaient cette vérité en forme de postulat qu'il n'est pas de monde qui ne soit borné, car sans limites il se dissoudrait dans le néant, il n'existerait pas, et si frontière il y avait elle pouvait être franchie, plus que cela, elle devait l'être quoi qu'il en coûtât, tant il est formidablement possible que de l'autre côté se trouve la partie manquante de la vie. Mais, Dieu de bonté et de vérité, comment convaincre les croyants qu'ils doivent cesser d'importuner la vie, elle aime et épouse qui elle veut ?

Ati se sentait fautif d'avoir entraîné le bon Koa dans ses chimères. Il se pardonnait en se disant que son ami était un révolté-né, un aventurier de première, qui obéissait à une force primordiale. Il portait en lui une grande souffrance, le sang qui coulait dans ses veines lui brûlait le cœur, son grand-père était un fou parmi les plus dangereux du pays, qui avait fourni des millions de jeunes martyrs aux trois dernières Grandes Guerres saintes et dont les prêches meurtriers étaient enseignés comme de la poésie dans les *midras* et les *mockbas*, et faisaient encore leur comptant de bénévoles de la mort. Dès son enfance, Koa avait nourri une haine ardente contre ce monde si imbu de lui-même. Il l'avait fui mais fuir ne suffit pas, il arrive qu'on s'arrête et alors on est rattrapé, acculé. Ati abhorrait le Système et Koa honnissait les hommes qui servaient le Système, ce n'était pas le même procès mais après tout, l'un n'allant pas sans l'autre, il pouvait se concevoir qu'on les pende tous à la même corde.

Rendus où ils en étaient, les deux amis avaient besoin de se dire qu'ils avaient franchi une ligne et que poursuivre dans la même direction était courir à la mort. Cela pour ne pas agir à l'aveuglette. C'était déjà un beau miracle qu'ils aient été si loin dans l'agitation sans être repérés. Ils étaient encore sous la protection de leurs statuts. Ati était un vétéran, il avait survécu à la tuberculose et revenait du terrifiant sanatorium du Sîn, et Koa portait un nom illustre et sortait de la sans pareille EPD, l'École de la Parole divine.

Ils en parlaient, ils s'interrogeaient, ils attendaient le bon moment, améliorant chaque jour
leur technique de camouflage, ils passaient et
repassaient les contrôles sans difficulté, savaient
comme pas un faire assaut de piété et de disci-
pline civique, le *mockbi* du quartier et les juges
de l'Inspection morale les citaient en exemple.
Le reste du temps, ils cherchaient des filières,
chassaient le renseignement, questionnaient des
hypothèses. Ils comprenaient tant de choses, ils
constataient la facilité avec laquelle on trouve
dès lors qu'on cherche avec soin et combien la
triche et la clandestinité développent la créati-
vité, du moins la réactivité. Ils avaient déjà appris
ceci : les ministères et les grandes administrations étaient tous rassemblés dans un gigantesque complexe situé dans le centre historique
de la ville. Ils le savaient auparavant comme on
sait une théorie, sans forcément y croire. C'était
l'Abigouv, le cœur du gouvernement d'Abi, au
centre duquel trônait la Kiïba, une majestueuse
pyramide haute de cent vingt *siccas* au moins sur
une base de dix hectares, bardée de granit vert
étincelant strié de rouge, tout hiératique, avec
sur les quatre versants de son pyramidion l'œil
d'Abi couvrant la ville, fouillant continûment le
monde de ses rayons télépathiques. C'était le
siège de la Juste Fraternité. Cent mille bombes
ne l'auraient pas fait vaciller. Il y avait à la base
de ce regroupement un souci de sécurité, d'efficacité aussi, pourquoi pas, mais avant tout l'objectif était de montrer la force du Système et le

mystère impénétrable qui le sous-tendait; un ordre absolutiste se construit de cette manière, autour d'un totem indéchiffrable et colossal et d'un chef doué de superpouvoirs, autrement dit sur l'idée que le monde et ses démembrements n'existent et ne tiennent que parce qu'ils tournent autour d'eux.

Plusieurs dizaines de milliers de fonctionnaires y travaillaient sept jours sur sept, jour et nuit, et chaque jour que Dieu faisait plusieurs dizaines de milliers de visiteurs, des fonctionnaires et des marchands venus des soixante provinces, se pressaient à l'entrée des différentes administrations pour déposer des requêtes, s'inscrire sur des listes, recevoir des quitus et des attestations. Les dossiers partaient à l'intérieur de la titanesque machine pour un long voyage, plusieurs mois, des années, à la suite de quoi ils étaient envoyés dans les sous-sols de la cité où ils subissaient un traitement spécifique, on ne savait lequel. Nos amis avaient entendu dire que ces souterrains ouvraient sur un autre monde réellement insondable et que de là un tunnel secret s'enfonçait très profondément dans la terre, dont le Grand Commandeur seul détenait la clé et qui aurait pour vocation, en cas de révolution populaire, d'exfiltrer les Honorables vers… le ghetto! Vraiment, il se dit n'importe quoi quand on ne sait pas. La vérité était qu'on voyait mal la probabilité d'une révolution et encore moins l'hypothèse que les Honorables aient la vulgaire idée de se terrer dans le ghetto, chez l'ennemi héréditaire, alors qu'ils étaient les maîtres du monde, qu'ils avaient des hélicoptères et des avions pour rejoindre n'importe quel point du globe en peu de temps, et des forteresses volantes qui sondaient indéfiniment le ciel et étaient capables de détruire toute vie sur terre. Certains renseignements ne valent rien, ils dispersent l'attention. Le tunnel servait plus probablement à rejoindre un aéroport ou le palais d'Abi qui avait pu, en ces temps où l'Ennemi était tout-puissant et déversait journellement ses bombes atomiques sur l'Abistan, servir de refuge aux Honorables et à leurs nobles familles.

Dans un vieux numéro d'un magazine de science théologique, Ati et Koa trouvèrent une photo qui montrait l'Honorable Duc, Grand Commandeur de la Juste Fraternité, flanqué d'un aréopage de plusieurs Honorables, dont le très puissant Hoc, directeur du Protocole, des Cérémonies et des Commémorations, tous caparaçonnés de l'épais *burni* vert brodé de fil d'or et coiffés du bonnet rouge distinctif de leur rang, inaugurant une nouvelle administration, le bureau des Éphémérides lunaires, que l'article présentait comme un acquis inestimable pour la bonne observance des rites du Siam, la semaine sacrée de l'Abstinence absolue. Il ajoutait comme une menace voilée : « Le Grand Commandeur a exprimé sa conviction de voir enfin cesser les sempiternelles disputes des Grands *Mockbis* des provinces à propos des heures de début et de fin de la semaine sacrée du Siam. » Menace sans effet car le Livre d'Abi était lui-même très vague sur le sujet et imposait au demeurant l'observation visuelle de la lune, méthode par nature sujette à erreur, étant en plus dévolue à de vénérables *mockbis* aussi myopes à la lumière du jour que sourds à toute démonstration. On ne disait pas par là qu'ils étaient têtus comme des pierres, on se voulait respectueux, on donnait seulement à entendre que les pierres étaient plus raisonnables qu'eux. En arrière-plan se découpait le formidable complexe gouvernemental, un conglomérat hybride tenant de la forteresse militaire antique et de la ville nouvelle dévastée, dont les tours atteignaient les premiers nuages et dont les ailes et dépendances s'imbriquaient d'une manière qui laissait entrevoir des intentions machiavéliques. On imaginait sans peine ce que l'intérieur pouvait receler de mystères et de tourments et quelle énergie proprement incalculable se déployait dans le cœur de ce réacteur cyclopéen.

Plus en arrière dans le plan se voyait un bout de la ville historique, des venelles tortueuses et pentues, des immeubles étroits arc-boutés les uns sur les autres, des murs vétustes, écaillés, des gens qui semblaient incrustés dans le paysage depuis l'Antiquité, signes évidents d'une vie mitée. C'est dans ce dédale sans fin qu'habitaient les fonctionnaires des différentes administrations. On l'appelait Cafo, la casbah des fonctionnaires. Telles des fourmis dévouées à leur reine, ceux-ci appartenaient corps et âme au Système. Ils rejoignaient leur travail par un faisceau de tunnels chichement éclairés qui, au cœur de l'Abigouv, se branchaient sur un réseau d'escaliers tout aussi compliqué qui les distribuait dans les étages, ne voyant ainsi de leur monde que ses boyaux, ses arêtes et ses alvéoles. Dans tout ça il y avait un côté usine de guerre robotisée qui faisait peur mais garantissait la ponctualité. Par un collègue du service de la voirie dont le grand-oncle était un fonctionnaire du ministère de la Vertu et du Péché qui, un jour, à la suite d'une réforme mal emmanchée, avait été envoyé au stade avec une centaine d'autres collègues précédés par le ministre en personne et toute sa famille, Ati et Koa surent que chaque administration avait son secteur d'habitation. Les employés du ministère des Archives, des Livres sacrés et des Mémoires saintes occupaient le secteur M32. C'était donc là que vivait Nas.

Ils apprirent également que la Grande Mockba, dans laquelle les Honorables officiaient à tour de rôle lors de l'Imploration du Jeudi, se trouvait dans le prolongement de l'Abigouv; elle pouvait accueillir jusqu'à dix mille fidèles. Chaque semaine, un Honorable, désigné par ses pairs selon un protocole trop compliqué pour être compris du petit peuple, conduisait la prière et après cela commentait quelque verset du

Gkabul en rapport avec l'actualité, en particulier avec le déroulement de la Guerre sainte en cours ou de celle qui se préparait dans le secret. Les fidèles ponctuaient ses phrases par de puissantes et viriles acclamations : « Yölah est grand ! », « Le *Gkabul* est la voie ! », « Abi vaincra ! », « Maudit soit Balis ! », « Mort à l'Ennemi ! », « Mort aux Regs », « Mort aux traîtres ! ». Après cela, lavées de leurs péchés, les ouailles se dirigeaient allègrement vers le grand stade pouvant accueillir autant de monde qu'il s'en présenterait.

Koa connaissait ces lieux mais n'en avait plus le souvenir. En tant que petit-fils d'un prestigieux *mockbi*, recteur de la Grande Mockba, et fils d'un brillant questeur d'une loge sacerdotale appartenant à l'Honorable Hoc, il vivait dans l'enclave des Honorables. Là on a des yeux de maître, on ne voit pas les gens, on ne les entend pas, on ne connaît pas le monde. À l'École de la Parole divine, mitoyenne de la Kiïba, dans l'intimité de Dieu et des saints, il avait fini par oublier qu'il vivait sur terre – en vérité il ne l'avait jamais su, personne ne lui avait dit que les gens étaient des humains. Mais un jour plus miraculeux qu'un autre il advint qu'il ouvrît les yeux et vît ces pauvres gens se tortiller de douleur sous ses pieds. Depuis, la fièvre de la révolte ne l'avait plus quitté.

Après ce long temps de contention, nos amis en vinrent à la conclusion que ce qui a marché une fois a des chances de marcher une deuxième fois. Ils s'inventèrent donc une convocation pour se rendre en mission spéciale dans l'Abigouv. Et les voilà prêts à courir dans les rues comme de bons et honnêtes travailleurs heureux d'aller se tuer au travail.

L'imprévu était au rendez-vous. Alors que leurs baluchons étaient prêts et la route à peu près dégagée, Koa se vit convoquer par le tribunal de l'arrondissement. L'estafette avait les yeux brillants et le nez humide car l'affaire était d'importance : Koa était mandé au tribunal par son excellence sérénissime le greffier-chef en personne. Sur place, un vieux rat impérial dans sa barbe blanche et son *burni* bien lustré lui apprit que l'AMCQ, l'Assemblée des Meilleurs Croyants du Quartier, à l'unanimité et au nom de Yölah et d'Abi, l'avait choisi pour tenir le rôle du Pourfendeur dans le procès d'une gueuse accusée de blasphème du troisième degré et que la proposition avait été tantôt entérinée en haut lieu. Sur ce, il lui fit signer son enrôlement et lui remit copie du dossier. C'était un événement considérable, le dernier procès en sorcellerie remontait à longtemps, personne n'espérait plus un jour en instruire un, or la religion s'appauvrit et perd de sa virulence si rien ne vient la malmener. Elle se revitalise autant dans le stade et sur le champ de bataille que dans l'étude sereine en *mockba*. Dans une querelle entre voisines, l'effrontée, une jeune femme de quinze ans, avait osé dire en claquant la porte que Yölah le juste avait grandement failli en lui donnant des voisines aussi méchantes. Il y eut comme un coup de tonnerre dans le ciel. Les mégères avaient d'une seule voix témoigné contre elle et les Civiques, accourus à grands pas, avaient abondé dans le même sens. L'affaire ne laissait place à aucun doute, cinq minutes suffiraient pour aller au verdict, on ne prolongerait la question que pour le plaisir de voir la bête tourner de l'œil et pisser sous elle. Au passage, ils avaient embarqué le mari et leurs cinq enfants, ils seraient entendus plus tard par le comité de la Santé morale, ils devraient eux aussi témoigner et faire leur autocritique avant saisine, le cas échéant, du Conseil de Redressement. Pour un tel procès était requis un imprécateur avec une belle auréole, le meilleur, et Koa était tout désigné. Son nom, celui de son grand-père d'abord, était un phare au-dessus de sa tête, il le signalait de loin. Pour un tribunal de quartier périphérique, officier sous un tel emblème était un honneur insigne. Le public serait nombreux, l'affaire ferait date, la loi triompherait comme jamais et la foi serait démultipliée, on la verrait depuis la Kiïba. La blasphématrice apportait la fortune, il y aurait des promotions fulgurantes dans les rangs de la justice.

human
sacrifice

« Que faire ? », telle était la question. Les deux amis en parlèrent des heures, Koa refusait de s'associer à ce qui était un sacrifice humain annoncé. Ati l'approuvait à fond. Il était d'avis que Koa parte se réfugier dans le ghetto ou dans une de ces banlieues dévastées où il affectionnait de traîner jadis. À vrai dire celui-ci hésitait, il croyait qu'il était encore possible d'échapper à la convocation du tribunal, quelque part un décret de la Juste Fraternité stipulait que le Pourfendeur devait être un homme d'âge canonique, ayant œuvré au moins un quinquennat dans une assemblée reconnue de croyants émérites, ou participé à une Guerre sainte, ou possédant des états de services enviables en qualité de *mockbi*, répétiteur, psalmodieur ou incantateur, conditions que Koa ne remplissait pas : il avait une petite trentaine sans gloire, n'avait jamais intégré aucun corps de sectateurs, enseigné la religion ni porté arme contre quiconque, ami ou ennemi. Sauf que se prévaloir de cet argument c'était dire son refus d'aider la justice, c'était approuver le sacrilège, on finissait au stade avec la condamnée. « Que faire ? » était effectivement la bonne question. Ati proposa de profiter de leur rencontre prochaine avec Nas pour le prier d'intervenir en sa faveur. Étant le découvreur du plus célèbre lieu saint de l'Abistan, il avait sûrement l'oreille reconnaissante de son ministre, sur son ordre Koa pourrait être embauché au ministère, à ce niveau stratosphérique on est dispensé de corvée, on ignore le monde d'en bas. Koa était sceptique. Nas avait peut-être l'oreille du ministre mais il n'est pas dit qu'un ministre écoute, il se peut même qu'il entende tout le contraire.

Koa s'ébroua et lança : « Ils me veulent ? Bien, je vais leur en donner, je vais pourfendre là où ça fait mal. »

Ati en frémit, Koa avait la rage au cœur.

Le Pourfendeur était le personnage-clé dans les procès en sorcellerie. Il n'était pas au prétoire pour plaider la cause de l'un ou de l'autre, l'accusé, la société ou la partie civile, il venait dire haut et fort l'ire de Yölah et d'Abi. Qui mieux que le rejeton de feu le Grand *Mockbi* de Qodsabad et ancien élève de la mirifique École de la Parole divine saurait trouver les mots et les accents pour exprimer la fureur du Très-Haut et de son Délégué ?

On ne sait d'où vient le mot « pourfendeur », le titre officiel est « Témoin de Yölah » que les sceptiques ont déformé en « Fou de Yölah ». « Pourfendeur » vient sans doute de ce que, jadis, en ces temps obscurs dominés par l'Ennemi et les hordes de Balis, les Témoins de Yölah appliquaient systématiquement aux mécréants le pal, qui en effet pourfendait le supplicié comme le coin du bûcheron fend le tronc d'arbre. Les abonnés du prétoire, se basant sur leurs imprécations, leur avaient donné un autre nom, plus aimable, celui de Père Malheur ou

Frère Malheur, vu que leurs envolées commençaient toutes par « Malheur à vous qui...! », « Malheur à ceux qui...! », « Malheur à ceux-là que...! ». En fait, tout simplement, ils parlaient comme les *mockbis* quand ils appelaient à la Guerre sainte. Les grands Pourfendeurs, et certains l'étaient au point d'émouvoir l'accusé lui-même, étaient déclarés « Amis de Yölah et d'Abi », titre qui ouvrait droit aux meilleurs privilèges. Par son nom, son savoir et son énergie, Koa était assuré d'entrer triomphalement dans ce panthéon, de gagner beaucoup d'argent et d'estime, mais voilà, il avait choisi d'être pauvre et rebelle, de vivre dans l'inquiétude, en somme.

Au terme de leur réunion, les deux amis décidèrent de suivre leur première idée : partir à la recherche de Nas et obtenir son aide. En cas d'échec, ils aviseraient, Koa disparaîtrait dans le ghetto, se fondrait dans une banlieue dévastée ou... affronterait son destin et pourfendrait selon son cœur.

Le temps pressait, l'audience était fixée au onzième jour de la lune suivante. Ça tombait mal, ce jour-là les gens étaient fous, on fêtait la JRC, la Journée annuelle de la récompense céleste, il y aurait plus de déçus que d'élus, le tribunal serait envahi par la foule et la route du stade grouillerait comme jamais, la lapidation de l'effrontée n'aurait rien de propre, elle serait moulue fin à mi-chemin. En mêlant ceci et cela, les juges voulaient clairement accroître le désordre et le malheur dans le but d'en tirer un grand profit, et tous savaient lequel : se faire remarquer d'un Honorable, peut-être du Grand Commandeur lui-même, et pourquoi pas d'Abi, et être un jour élevés à la dignité d'« Ami de Yölah et d'Abi », premier palier de l'anoblissement. Un cran au-dessus, on avait le droit de posséder fief, cour et milice et le privilège extraordinaire de prendre la parole à la *mockba* lors de la grande Imploration du Jeudi pour haranguer la communauté.

Et ainsi, une quinzaine avant la date fatidique, tôt le matin, à l'heure du crieur de la *mockba*, chargés de leurs baluchons et munis de papiers richement tamponnés faisant d'eux d'honnêtes fonctionnaires en mission de confiance auprès du ministère des Archives, des Livres sacrés et des Mémoires saintes, Ati et Koa franchirent la limite ultime de leur quartier et, le cœur battant la chamade, se mirent en route, droit sur l'Abigouv. Ils avaient même un plan, croqué par le vieux Gog, le gardien des archives, qui croyait se souvenir qu'un jour, peu avant la troisième Guerre sainte, ou juste après, alors qu'il était le grouillot personnel de l'*ômdi*, son excellence le Bailli, il l'avait accompagné à l'Abigouv, et y avait vu des merveilles, des bâtiments impressionnants comme des montagnes granitiques avec des couloirs interminables et des galeries qui se perdaient dans la nuit souterraine, des machines indescriptibles, les unes bruyantes comme des cataclysmes et d'autres hyperstressantes qui ne faisaient que clignoter et cliqueter dans une sorte de compte à rebours sans fin, des trieuses de dossiers et des réseaux de tubes pneumatiques plus complexes qu'un cerveau humain, des imprimeries industrielles qui débitaient le Saint *Gkabul* et le poster d'Abi en millions d'exemplaires, et partout, en solo ou en équipes, des gens en nombre, hyperconcentrés et tout raides dans leurs *burnis* luisants, appartenant visiblement à une espèce transcendante. Une sagesse froide les habitait mais c'était peut-être seulement de la folie éteinte, de la cendre après le feu. Ils ne parlaient pas, ne regardaient ni à droite ni à gauche, chacun faisait exactement ce qu'il avait à faire. En eux, la vie était froide, absente, résiduelle au mieux, en tout cas très élémentaire, une habitude s'était installée à la place et avait créé un système très précis d'interactions machinales. C'étaient ces automates qui faisaient tourner l'Abistan mais ne le savaient pas forcément, ils n'avaient pas de nez pour sentir ces choses et ne sortaient jamais à la lumière du jour, le service de la religion et le règlement du Système le leur interdisaient. Entre labeur et prières, il leur restait le temps de rejoindre les tunnels qui les ramenaient dans leurs casbahs. La sirène du poste ne sonnait qu'une fois, et le convoi n'attendait pas. Hors de leurs routines, dont ils ne s'éloignaient jamais, ils étaient patauds et aveugles. S'ils trébuchaient ou se fourvoyaient, ils étaient retirés du service et mis au rebut ou à la casse. Inadaptés en puissance, ils inquiéteraient leurs collègues, leurs voisins et leurs proches qui à leur tour seraient des inadaptés. Avec cette façon de prévenir la contagion, les rangs s'éclaircissaient à grande vitesse, l'inquiétude et la maladresse étant elles-mêmes épidémiques. Ainsi était l'Abistan, il allait son destin, il croyait en Yölah et Abi de cette façon fidèle et intransigeante qui l'incitait à croire toujours plus fort, toujours plus aveuglément.

Rapidement, en un jour ou deux, les amis se trouvèrent une belle assurance, ils passaient d'une rue à l'autre comme si ne les séparait aucune frontière, aucun interdit, aucune règle de bon voisinage. Ils découvraient avec étonnement que les gens étaient en tout point semblables aux habitants de leur S21, à l'accent près, ici on l'avait chantant, là guttural et saccadé, ailleurs nasal, sifflé ou aspiré, ce qui révélait un grand secret : derrière l'apparente uniformité des choses et des êtres, les gens étaient en vérité très différents, et chez eux, en famille, entre amis, parlaient d'autres langues que l'*abilang*, tout comme dans le S21. L'accent les trahissait de même que l'odeur, le regard et la façon de porter le *burni* national mais les contrôleurs autorisés, Civiques, Croyants justiciers bénévoles, Miliciens volontaires, Patrouilleurs affiliés à la police ou chaouchs libres, ne pouvaient entendre ces fausses notes, étant eux-mêmes du cru et pris dans le même zonage. Les V le pourraient, ils avaient tant de pouvoirs, mais existaient-ils réellement?

Leurs ordres de mission bardés de cachets très officiels les protégeaient mais quand même – prudence, prudence – Ati et Koa tentaient autant que faire se pouvait de prendre l'accent et les manières du terroir ou jouaient le malade qui n'en pouvait mais ou le bêta qui entendait mal de l'oreille.

À bien voir, le mérite revenait véritablement à la rue, elle était un chaos vivant, on n'y reconnaissait pas son frère. Interpellés de toute part, les contrôleurs s'épuisaient à la tâche, ils couraient de-ci de-là, lâchant une proie pour en attraper une autre et au final ajoutaient le cauchemar à la confusion.

En étrangers, Ati et Koa attiraient le regard comme l'aimant attire les clous. Les voilà une nouvelle fois accrochés par un groupe de contrôleurs. La foule accourait et formait le cercle. Elle n'en perdait pas une miette et n'hésitait pas à souffler aux contrôleurs les bonnes questions. Tout additionné, l'interrogatoire restait très conventionnel, Ati et Koa le connaissaient par cœur.

« Holà… Hé, vous, les étrangers… oui, vous… approchez par ici!

— Bonjour, ô frères et honorables contrôleurs.

— Par Yölah, Abi et le Grand Commandeur, sans oublier l'Honorable de notre fief, le salut sur eux, qui êtes-vous, d'où venez-vous et où allez-vous comme ça?

— Grâces soient rendues à Yölah, à Abi et à notre Grand Commandeur, sans oublier votre Honorable, nous sommes des fonctionnaires de l'État en mission de confiance, nous venons du S21 et nous allons de ce pas à l'Abigouv.

— Le S21?... C'est quoi, ça?

— C'est notre quartier.

— Votre quartier?... Et où se trouve-t-il?

— Par là, au sud, à trois jours de marche... mais peut-être seulement une heure à vol d'oiseau.

— Les oiseaux n'ont pas de quartier, que je sache. Et de quartier à Qodsabad la sainte il n'y a que le nôtre, le H43. Vous venez donc d'une autre ville. Qu'allez-vous faire à l'Abigouv?

— Nous y portons des dossiers réservés, destinés au ministère des Archives, des Livres sacrés et des Mémoires saintes.

— Et c'est quoi, l'Abigouv?

— C'est le gouvernement, la Juste Fraternité et le reste... »

La foule était vigilante, elle intervenait au bon moment : « Hé! contrôleur, demande-z-y leurs papiers et fouille-les, il y a beaucoup de vols ces jours-ci dans le quartier. »

Les contrôleurs reprenaient la main :

« Présentez vos papiers, ordre de mission, Livret de la Valeur et carte d'inscription à la *mockba*.

— Voilà, braves et infatigables contrôleurs...

175

Notre carte a été examinée par votre *mockba* où nous avons accompli notre prière du matin et où nous passerons la nuit dans la méditation et le jeûne.

— Je vois que vous êtes bien notés et que vous occupez les premiers rangs dans les prières, c'est un bon point. »

La foule revenait à la charge : « Attention, ce sont des malins, demande-leur de réciter le saint *Gkabul*... et fouille-les, par Yölah !

— Vérifions ça : récitez-moi le verset 76 du chapitre 42 du titre 7 du Saint *Gkabul*.

— Facile, il dit ceci : « *Moi, Abi, le Délégué par la grâce de Yölah, j'ordonne que vous vous soumettiez honnêtement, sincèrement et totalement aux contrôleurs, qu'ils soient de la Juste Fraternité, de l'Appareil, de l'Administration ou de l'initiative libre de mes fidèles croyants. Ma colère sera grande contre ceux qui jouent, cachent ou se dérobent. Ainsi soit-il.* »

— Bien, bien... Vous êtes de bons et honnêtes croyants... Auriez-vous quelque argent à nous donner, avant de poinçonner votre ordre de mission et vous laisser poursuivre votre chemin ? On accepte les reliques si elles sont monnayables.

— Nous sommes des fonctionnaires mal payés, nous pouvons vous offrir seulement deux *didis* et un talisman du Sîn, il protège de la tuberculose et du froid, il vous paiera sûrement un beignet au miel ou un caramel. »

underworld –
depressing place

Voici ce que fut la traversée de Qodsabad, peu de bonnes choses en vérité au regard de son immensité et de son statut de cité multimillénaire et mille fois sainte : des bains de foule harassants, des passages obligés par toutes les *mockbas* trouvées sur le chemin, des contrôles à tous les carrefours, des cérémonies pieuses à la chaîne, des jamborees improvisés de candidats au pèlerinage, parfois des échauffourées et des arrestations spectaculaires, des Regs, des fous, des gens recherchés ; c'était aussi des spectacles déprimants : des condamnés qu'on traînait au stade, des convois de prisonniers en route vers les camps et les bagnes ; c'était aussi des arrêts obligatoires devant les *nadirs* (si exceptionnellement le Grand Commandeur apparaissait à l'écran). Devant les posters d'Abi, et on les comptait par milliers, l'usage était de réciter un petit verset et de se retirer à reculons ; n'oublions pas les mendiants, on s'épuisait à les éviter, ils fourmillaient et la loi faisait obligation d'offrir à chacun un petit quelque chose, un *didi*, un bout de pain, un peu de sel, une relique monnayable, à défaut un objet qu'ils pourraient échanger ou revendre.

Ati et Koa s'en étaient plutôt bien sortis, leurs faux papiers étaient meilleurs que des vrais. La foule les dénigrait, n'empêche ils convainquaient la force publique. Si les Civiques se montraient plus ennuyeux que d'autres, c'était par ignorance, ces pauvres diables méritaient bien d'être achevés, ils ne savaient ni lire ni comprendre, il fallait expliquer, articuler, répéter, et toutes les deux phrases les féliciter pour leur bonne et heureuse piété. Avec un ordre de mission leur enjoignant de rejoindre l'Abigouv pour une affaire d'État, Ati et Koa étaient en droit de les prendre de haut et de leur demander de balayer la rue devant eux, mais ils se gardaient de cette facilité, un retournement de situation était toujours possible, la vengeance serait terrible.

L'essentiel était d'avancer sans perdre le nord, droit sur l'Abigouv dont la fameuse et étincelante Kiïba se voyait des quatre horizons comme un soleil levant. Elle était encore à trois jours de marche.

Chemin faisant, les deux amis découvraient la ville, ils n'en perdaient pas une miette. Elle n'était en fait que la répétition à l'infini de leur pauvre quartier mais ainsi réunies, de cette manière discontinue et dans cette atmosphère de commencement ou de fin du monde, les parties composaient une étrangeté absolue. « On est mieux dans notre quartier, ici on se connaît, on a des devoirs, il y aura toujours quelqu'un pour t'enterrer. Là-bas, qui te ramassera, qui éloignera les chiens ?... », avait dit le vieux Gog en frissonnant.

Qodsabad était une cité comme on ne saurait imaginer, une immensité chamboulée sur laquelle régnait un ordre immuable qui ne laissait rien au hasard. Il se dégageait de cet agencement paradoxal l'impression d'un désastre universel définitif, transformé par la folie des choses en une promesse de paradis céleste dans lequel les croyants retrouveraient l'exacte réplique de leur vie sur terre. La Guerre sainte serait ainsi de tous les mondes, Ici-bas et Là-haut, et le bonheur serait toujours une aspiration irréalisable parmi les hommes, qu'ils soient anges ou démons. Croire en Yölah dans ces conditions était plus que miraculeux, il fallait la force d'une fantastique publicité pour que le rêve et la réalité se rejoignent et fassent un. Mais, une fois qu'on était pris dans la fantasmagorie, Qodsabad était un foyer comme un autre, on pouvait s'y sentir un jour malheureux comme un rat et le lendemain heureux comme un soleil, et de la sorte la vie passait sans totalement décevoir, chacun ayant une chance sur deux de mourir content.
→ sad realities

Les deux amis détonnaient assez, tout le long du chemin les curieux se jetaient sur eux et les pressaient de questions, toujours les mêmes, d'une banalité achevée : « Qui êtes-vous, bon

179

sang, d'où venez-vous, où allez-vous de ce pas ? » Les gens ne comprenaient pas qu'on puisse s'éloigner de son foyer, de sa *mockba* et du cimetière où étaient enterrés les siens, sinon pour aller à la Guerre sainte ou en pèlerinage, ils n'avaient jamais entendu parler d'un quartier nommé S21 ni des célébrissimes « Sept sœurs de la désolation » qui le bordaient et le séparaient du ghetto que beaucoup connaissaient de réputation. Ils habitaient le M60, le H42 ou le T16... dont Ati et Koa n'avaient jamais entendu parler, et pensaient qu'à lui seul leur quartier formait Qodsabad la sainte. Le ghetto ne les inquiétait pas tant, puisqu'ils ne savaient pas où il se cachait ; ce qui les terrorisait, c'était Balis et ces maudits Regs qui nuitamment enlevaient les enfants des croyants pour faire des sorcelleries avec leur sang. Tous cependant avaient cette belle qualité abistanaise, le sens de l'hospitalité, et c'était tout naturellement qu'ils proposaient aux voyageurs de venir prier avec eux dans leur *mockba* et de participer à des volontariats pour conforter leur compte de bons points en vue de la prochaine Joré. Ils offraient aussi à manger et à boire, et l'argent qu'ils réclamaient en échange était simplement une politesse, un rendu pour un prêté, de la générosité qui répond à la générosité. Mais, ruse de guerre ou faiblesse humaine, devant la force publique ils oubliaient leurs bonnes dispositions de cœur et accablaient généreusement l'étranger.

À mesure qu'ils avançaient vers l'Abigouv, la pyramide de la Kiïba révélait sa fantastique et majestueuse ampleur. À chaque pas effectué dans sa direction, elle prenait deux *siccas* à la toise et bientôt sa pointe disparut dans la profondeur incandescente des cieux. À cette distance, il fallait se mettre le cou à l'horizontale pour en voir la cime.

Enfin ils arrivaient au but, plus qu'un quartier à franchir, le A19, un capharnaüm impossible comme il en existait autour des seigneuries médiévales, des créatures chiffonnées vivant les unes sur les autres dans des taudis étroits et insalubres à décourager des lépreux. La raison à cela, il faut la chercher dans l'histoire des bidonvilles, si elle existe. On campait à la périphérie d'une cité pour se louer aux riches seigneurs, on construisait leurs belles demeures, on érigeait des remparts et des donjons pour leur sécurité, et une fois le travail accompli on se retrouvait dehors, Gros-Jean comme devant, pris au piège. Esclave sans maître, c'est pire que tout. Où aller alors ? La famille s'était agrandie, des liens s'étaient tissés avec les voisins de misère, « partir c'est mourir », alors entre chômage, petits boulots et trafics divers, on s'installait dans le provisoire au long cours, on ajoutait des tôles aux tôles, des planches aux planches, on calfeutrait au torchis, manière de se sentir bien chez soi, et on préparait les enfants à prendre la suite. Le A19 était un quartier au stade primitif, un jour il aurait des maisons en dur, des rues avec des caniveaux et des déversoirs, des places où se tiendraient des marchés et des cérémonies, des abris pour clochards et des contrôleurs en pagaille.

Les deux amis le traversèrent par la ligne droite, étonnés de pouvoir le faire sans être interpellés ou détournés tous les trois pas.

Passé les derniers taudis, la cité gouvernementale ou la Cité de Dieu leur apparut dans son gigantisme pharaonique. Rien n'était à dimension humaine, ici on avait travaillé pour Dieu – et Yölah était le plus grand – pour l'éternité et l'infinité. L'œuvre était humaine mais dépassait la compréhension humaine. Une surprise leur coupa le souffle : la Cité de Dieu était ceinte d'une muraille aussi haute qu'une montagne, épaisse de plusieurs dizaines de *siccas* ! Comment la traverser, crénom ? Gog n'en avait pas dit mot. Sa mémoire avait des trous, à l'archiviste, et celui-ci était de taille. L'autre

182

explication était que la muraille avait été érigée plus tard. Lors de sa visite à l'Abigouv, Gog avait une petite quinzaine d'années, il courait plus vite que son ombre et ne voyait pas tout, le petit grouillot à son Bailli ; le voilà à présent vieillard cacochyme et peu maître de sa mémoire. Il s'était passé bien des choses depuis, il y avait eu des invasions et des Guerres saintes dont l'une, nucléaire, la mère de toutes les batailles, avait provoqué dans le monde le plus grand pullulement de bandits et de mutants de toute l'histoire humaine, il y avait eu des révolutions grandioses et des répressions titanesques qui avaient engendré des fous et des errants par millions, il y avait eu des famines et des épidémies planétaires qui avaient ruiné des régions entières et chassé devant elles des millions de miséreux, et il y avait eu un changement climatique de taille qui avait fait le reste, il avait bouleversé la géographie de la planète, plus rien n'était à sa place, les mers, les terres, les montagnes et les déserts avaient été tourneboulés comme ils ne l'avaient jamais été au cours des âges géologiques, et tout ça en une seule vie d'homme. Yölah le tout-puissant ne suffisait pas, il fallait aussi une muraille de ce gabarit pour protéger la Juste Fraternité et ses sectateurs. De ce temps où Gog visitait l'Abigouv pour son plaisir, il ne restait de vivant qu'Abi, mais lui était le Délégué, il était immortel et inamovible. Et il restait Gog, un mortel sans envergure et tout proche de la fin.

C'est comme ça, un problème reste un problème tant qu'on ne lui a pas trouvé de solution. Parfois, il n'est pas nécessaire de la chercher, elle se présente toute seule ou alors le problème disparaît de lui-même, comme par enchantement. Et c'est bien cela qui arriva : voyant les deux amis gémissant de désespoir au pied de la colossale muraille, un passant chargé de son faix leur parla ainsi : « Si vous cherchez l'entrée, elle est par là, au sud, à trois *chabirs* environ, mais elle est puissamment gardée et les contrôleurs sont tatillons et incorruptibles. Nous avons bien essayé... Si vous êtes pressés ou si vous avez des choses à cacher, vous pouvez entrer par le trou de souris, il se trouve à une centaine de *siccas* sur votre droite, il donne sur la casbah des fonctionnaires. Nous l'empruntons pour aller leur vendre nos légumes et notre contrebande, et acheter chez eux des papiers et des autorisations que nous revendons ici et là dans tout l'Abistan. Si vous voulez entrer dans les ministères ou dans la Kiïba, il faut une convocation ou un ordre de mission. Vous pourrez les acheter chez Toz, vous le trouverez dans son échoppe, attenante à la *mockba*. Dites-lui que c'est moi, Hou le portefaix, qui vous envoie, il vous fera un prix. Si vous avez besoin de quoi que ce soit d'autre, vous le trouverez chez lui. Ici, dans le A19, vous pouvez circuler sans louvoyer, il n'y a pas de contrôleurs, ils filent doux, mais il y a beaucoup d'espions, méfiez-vous. Bonne chance, Yölah vous garde. »

Et, en deux temps trois mouvements, les deux amis parcoururent les vingt *siccas* à leur droite. Le trou de souris était bien là. Elle était plutôt grosse, la souris, ou alors avec le temps le trou avait été agrandi pour laisser passer les charrettes à bras et les camions, de ces monstres antédiluviens cracheurs de feu dont il restait quelques spécimens que des générations d'opiniâtres contrebandiers avaient miraculeusement réussi à maintenir en vie.

La Cité de Dieu était un ensemble architectural comme on ne peut imaginer, c'était labyrinthique et chaotique à souhait, cela a été dit. Et très impressionnant : entre ses murs se concentrait la totalité du pouvoir de l'Abistan, et l'Abistan c'était la planète. Selon Koa, qui s'y connaissait un peu en histoire ancienne, la Kiïba de la Juste Fraternité était la copie de la grande pyramide de la vingt-deuxième province, le pays du Grand Fleuve blanc. Le Livre d'Abi apprenait aux croyants que sa construction était un miracle accompli par Yölah lorsqu'en ces temps lointains il n'avait d'autre nom que Râ ou Rab. Venu convaincre les hommes du Fleuve de se détourner de l'adoration des idoles et de l'aimer lui seul, il devait bien réaliser quelques miracles pour prouver ses dires. Ce qu'il fit. Le monument avait été érigé en une nuit, sans tapage ni poussière. L'effet fut immédiat, maîtres et esclaves se jetèrent à terre, récitèrent la formule qu'il venait de leur apprendre : « Il n'y a de dieu que Râ et nous sommes ses esclaves », qui ferait d'eux des croyants libres, et ne tardèrent pas à briser les statues de leurs anciens dieux et les chaînes des faux prêtres. Pour se les attacher sur la durée et les rassurer sur l'avenir de leur descendance, il leur promit l'envoi rapide d'un délégué, qui enseignerait à leurs enfants le connu et l'inconnu et les aiderait à vivre dans la joie de la soumission.

Les ministères et les grandes administrations s'étaient agrandis au fil du temps un peu à la diable, en hauteur et en largeur, l'Abistan ne cessait lui-même de s'étendre dans toutes les directions jusqu'aux confins les plus reculés de la planète. Un jour on s'aperçut, dos au mur, qu'il ne restait plus un empan carré de libre dans toute la cité de l'Abigouv pour y placer les voies d'accès et les logements des fonctionnaires. Qu'à cela ne tienne, les villages alentour avaient été réquisitionnés, intégrés dans l'enceinte de la Cité de Dieu et affectés aux fonctionnaires, recrutés parmi les meilleurs croyants de l'Abistan et formés à la dure, et c'est en souterrain que les voies de circulation furent aménagées. La sécurité avait été imaginée comme dans les fourmilières, c'est à fond que le principe du labyrinthe, de la chicane, du cul-de-sac, du sas, du nœud et de l'étranglement avait été exploité. Sans guide dûment autorisé, on ne pouvait ni entrer ni sortir, et de là avait été imaginé un système de transport du personnel qui le déplacerait sans coup férir entre les casbahs et les bureaux par des tunnels et des ascenseurs branchés directement sur les couloirs des administrations. Quelqu'un, qui ne pouvait être qu'Abi ou le Grand Commandeur Duc, estima qu'il n'avait plus à sortir de la Cité de Dieu, il était à l'abri du besoin, il serait de même à l'abri des influences extérieures. Les choses évoluant par la force de l'habitude, de la nécessité et du tropisme, les fonctionnaires devinrent des troglodytes et peu à peu se transformèrent en fourmis. Couverts du *burni* noir luminescent et animés par le même influx émanant d'un centre unique, ils pouvaient en remontrer aux vraies fourmis.

Avec ses mots à lui, hésitants et archaïques, Gog avait expliqué que le peu qu'il avait vu lui avait donné l'impression que l'Abigouv était une gigantesque usine à mystères dont les servants eux-mêmes ignoraient à quoi elle servait et comment elle fonctionnait; ils avaient été réglés pour exécuter, pas pour comprendre. Il avait utilisé un mot inconnu en *abilang* et assez imprononçable, il avait dit que l'Abigouv était une « abstraction » mais il s'était montré incapable d'en donner une définition, même approximative. Il est difficile de pardonner aux vieux, s'énerva Koa, l'âge doit quand même servir à apprendre sinon quel est l'intérêt de vieillir. Mais voilà, il y a culture et culture, celle qui additionne des connaissances et celle, plus courante, qui additionne des carences. Longtemps Gog avait fait le même cauchemar, il se voyait errant dans un enchevêtrement infernal de couloirs, de tunnels et d'escaliers parcourus par d'étranges bruits, torturé par l'impression qu'une ombre le suivait, le précédait et parfois venait lui souffler dans le cou une odeur écœurante. Il se réveillait toujours au même moment : alors qu'il courait comme un dératé dans un tunnel étroit, tout à coup deux lourdes grilles tombaient comme un couperet devant et derrière lui dans un bruit infernal. Il était fait. Il poussait un cri désespéré et... se réveillait en sursaut ruisselant de sueur ! S'en souvenir seulement lui coupait le souffle.

Courageusement Ati et Koa franchirent la muraille par le trou de souris.

Il y avait foule de l'autre côté, une foule sympathique, c'était jour de marché, des fonctionnaires faisaient provision de légumes frais qui schlinguaient la terre polluée et l'eau croupie, des carottes maigrelettes, des oignons tristounets, des patates fripées et une sorte de citrouille mutante toute pustuleuse. L'article était parfait et délicieux, les marchands criaient comme de vrais arracheurs de dents. Le marché se tenait dans un passage étroit encombré de gravats de fin de chantier, entre deux bâtiments aveugles. Dans la cohue, Ati et Koa s'en mettaient plein la vue. La lividité extrême des fonctionnaires et l'absence de contrôleurs dans le coin suggéraient des choses cachées : l'Appareil avait lui-même organisé ce trafic à la marge, ou l'avait encouragé, car il permettait aux fonctionnaires de prendre l'air et d'améliorer leur subsistance, celle parcimonieuse et sans âme que leur fournissait le gouvernement consistant en tout et pour tout en une farine grisâtre faite avec on ne savait quoi et un breuvage huileux rougeâtre tiré d'on ne savait où. Le mélange donnait une bouillie rosâtre sentant le sous-bois après l'orage et le champignon vénéneux. Ati connaissait, c'était le menu au sanatorium matin, midi et soir, jour après jour. La bouillie n'était pas si innocente qu'elle paraissait : elle contenait des produits clandestins, bromure, émollient, sédatif, hallucinogène et autres, qui développaient le goût de l'humilité et de l'obéissance.

La bouillie dont se nourrissait le peuple cinq fois par jour, la *hir*, était pauvre en nutriments mais riche en goût et en fumet, elle s'obtenait en arrosant la farine légèrement grillée d'un liquide vert, de l'eau dans laquelle avaient macéré des herbes diverses et deux ou trois substances proches des poisons et autres narcotiques. Qu'importe, les gens en raffolaient, c'était l'essentiel.

Il pouvait arriver que les marchands rapportent des produits inconnus en Abistan, du chocolat, du café, du poivre. Les fonctionnaires s'étaient habitués à ces drogues qu'ils payaient avec des papiers administratifs d'importance. Certains avaient développé des addictions au poivre ou au café qu'ils chiquaient et prisaient avec passion. Ils se vendaient sous la table jusqu'à vingt *didis* le gramme.

L'occasion était belle et les deux amis la saisirent : profitant du sentiment de bonheur que les fonctionnaires éprouvaient à voir des légumes et à respirer l'air libre, soûlant pour eux, ils abordèrent l'un d'eux qui paraissait plus éveillé que ses collègues :

« Nous aimerions tant saluer un de nos amis, un homme célèbre, il appartient au ministère des Archives, des Livres sacrés et des Mémoires saintes... Vous le connaissez peut-être, il s'appelle Nas... »

Le brave fonctionnaire sursauta, rougit et bredouilla : « Je... euh... non... je... je ne le connais pas », en regardant par-dessus son épaule et il fila sans attendre sa monnaie. Les autres réagirent semblablement, sursaut et fuite. Parler n'est pas facile pour des gens dont on a coupé la langue ou débranché le lobe cérébral de la parole et du raisonnement. Le dernier s'était pris les pieds dans la contradiction : « ... Je... euh... jamais entendu... je... je le connais pas... Il a disparu... sa famille aussi... on ne sait rien, laissez-nous ! » et il disparut lui-même sans se retourner.

Ati et Koa étaient effondrés, les énormes risques qu'ils avaient pris et leur extraordinaire traversée de Qodsabad n'avaient servi à rien. Ils s'étaient gravement mis hors la loi, le stade les attendait au retour, ils seraient le clou du spectacle : les juges avaient trop investi sur le nom de Koa, ils seraient mortellement humiliés, ils se vengeraient de la meilleure façon, ils remettraient en service le pal ou le chaudron d'huile bouillante. Le retour au bercail n'était pas envisageable.

Ils se répétaient sur tous les tons : « Disparu ! »... « Disparu ? » Ils ne le comprenaient pas, ce fichu mot, il était terrifiant : « Disparu » voulait dire quoi, que Nas était mort, qu'il avait été arrêté, exécuté, enlevé, qu'il s'était enfui ? Pourquoi ? Quoi d'autre ? Est-ce à dire que des gens le cherchaient, le recherchaient ? Pourquoi ? Et sa famille, où était-elle, en prison, dans un charnier, cachée quelque part ? « Disparue ! »... « Disparue ? »

« Que faire ? » était de nouveau la question pressante. Sans trop savoir où les menaient leurs pas, ils se retrouvèrent dans la *mockba* signalée par Hou. Elle était minuscule, sympathique, campagnarde, son sol recouvert de belle paille, y prier c'était comme paître à l'étable. Ils ressentirent tout à coup la fatigue accumulée dans la traversée de Qodsabad, ils avaient besoin de calme et de fraîcheur pour réfléchir. La situation était désespérée, impossible de reculer et pas moyen d'avancer.

Le *mockbi* s'approcha d'eux, comprenant que ces nouveaux fidèles étaient dans le souci :
« Hou est passé et m'a parlé de vous, je vois

que vous êtes perturbés et que vous n'avez pas où aller. Vous pouvez dormir ici cette nuit, mais il faudra partir demain à la première heure. Je ne veux pas d'ennuis, les espions sont partout. Ils n'aiment pas les étrangers... Le mieux serait d'aller voir Toz, il saura vous aider... Dites-lui que c'est le *mockbi* Rog qui vous envoie, il vous fera un prix. »

Mais qui était ce Toz que tout le monde recommandait ? Demain, ils iraient le voir, ils vérifieraient s'il existait et s'il avait bien solution à tout.

Ils passèrent la nuit à réfléchir. La *mockba* ronflait à poings fermés, dans tous les coins il y avait une ombre enveloppée de son *burni*, des voyageurs désargentés, des malheureux, des sans domicile, peut-être des gens recherchés. Une sale impression s'était emparée d'eux : il y avait la peur, poisseuse et doulou- reuse, car l'avenir était sombre, il courait au drame, et il y avait le poids écrasant du mys- tère qu'ils ressentaient pleinement, là, au pied de la monumentale Kiïba de la Juste Fraternité. Ils n'avaient jamais cherché à savoir ce qu'était cette chose, une institution vraiment utile ou juste un immense mystère entre quatre murs, et à vrai dire personne ne s'en souciait au-delà de la stricte soumission, les gens avaient leurs misères quotidiennes à endurer. L'habitude efface ce qui détonne. Les deux amis prenaient

→ conflicting nature of 'regime'.

conscience que la Juste Fraternité régnait sur
l'Abistan d'une manière étrange, totale et lâche,
omniprésente et distante, et qu'en plus du pouvoir absolu sur les hommes, elle semblait en
détenir d'autres, inconnus et mystérieux, tour-
nés vers on ne savait quel monde parallèle et
supérieur. Les Honorables étaient des hommes
mais comme Abi, à un degré moindre évidemment, ils étaient aussi immortels, omnipo-
tents, omniscients. Des demi-dieux en somme.
Comment autrement expliquer l'étendue de
leur pouvoir sur terre? Il y avait quand même
un paradoxe sous-jacent : s'ils sont des dieux ou
des demi-dieux, que font-ils parmi les hommes,
des êtres insignifiants, pleins de poux et de problèmes? Les hommes se mêlent-ils aux punaises,
aux vermisseaux et autres faibles bestioles d'un
jour? Non, ils les écrasent et passent leur chemin. Comparer n'est pas toujours pertinent,
c'est vrai, la vie est un questionnement, jamais
une réponse.

Un peu avant de sombrer dans le sommeil, ils
prirent la décision d'aller tantôt voir le fameux
Toz. S'il savait tout, pouvait tout, et s'il était
aussi disponible qu'on le disait, alors il les aiderait à savoir ce qui était arrivé à Nas, à le joindre
s'il était vivant, ou sa famille s'il était mort ou en
prison. Ils lui demanderaient aussi de leur trouver un refuge, ce qui ne devait pas être difficile
dans le A19 où l'ordre semblait n'avoir jamais
été établi. Koa avait un objet qui valait de l'or,

aucun croyant ne pourrait s'empêcher de tout
sacrifier pour l'avoir : une lettre envoyée par Abi
en personne à son grand-père par laquelle il le
félicitait pour son engagement en faveur de la
Guerre sainte.

Toz était un caméléon, on le voyait au premier regard, il avait le pouvoir de prendre le visage qui convient à la circonstance. C'est en ami inquiet pour ses voisins qu'il accueillit Ati et Koa. «Le frère Hou et le *mockbi* Rog m'ont informé de vos soucis, entrez, entrez, vous êtes chez vous, à l'abri», dit-il avec des gestes ronds. La confiance les submergea.

Autre sujet d'étonnement, Toz ne portait pas le *burni* national et cela n'avait rien d'indécent, c'était la seule personne qu'ils aient jamais vue ainsi. Le *burni* n'est pas qu'un vêtement en Abistan, c'est l'uniforme du croyant, il le porte comme il porte sa foi, il ne quitte jamais l'un ni n'abandonne l'autre. Il faut en parler un peu. C'est Abi en personne qui l'a inventé et mis au point au début de sa carrière de Délégué. Il se devait de se distinguer de la masse des ignorants et des pouilleux et de prêcher avec prestance et assurance. La légende raconte que, pour faire face à la foule ingrate qui exigeait de l'entendre s'expliquer sur le nouveau dieu qu'il venait leur vendre, il jeta sur ses épaules ce qui lui tomba sous la main, ce fut un drap vert, et sortit affronter ces braillards de peu de foi. Lorsqu'il apparut, majestueux dans sa longue barbe de feu et sa cape flottant dans le vent, la foule en fut saisie, comme transfigurée, et sans plus tergiverser le reconnut comme prophète. Quand le lendemain il se présenta au peuple pour l'édifier, celui-ci l'interpella : « Ô Abi, où est ta bure? Mets-la afin que nous t'écoutions nous enseigner la vérité. » Tout était parti de là, le peuple découvrait que l'habit faisait le moine et que la foi faisait le croyant. Cette chape improvisée qui se nouait autour du cou avec une cordelette et allait s'évasant jusqu'aux mollets devint bientôt l'uniforme des Honorables, puis des *mockbis*, puis des agents d'autorité et de proche en proche s'imposa à tous, hommes, femmes et enfants du peuple. Pour reconnaître qui était qui, le bas de la cape fut enrichi de trois bandes parallèles de couleurs différentes : la première disait le genre, blanc pour les hommes, noir pour les femmes; la seconde disait la fonction, rose pour les fonctionnaires, jaune pour les commerçants, gris pour les contrôleurs, rouge pour les religieux; la troisième révélait le rang social, les inférieurs, les intermédiaires, les supérieurs. Avec le temps, le code évolua pour prendre en compte la diversité des situations, aux bandes on ajouta des étoiles, puis des croissants, puis on travailla la coiffe, foulard, toque, chéchia, calotte ou bonnet, puis les sandales, puis la barbe et la façon de la porter. Un jour, à la suite de quelque fièvre qui avait décimé plusieurs régions, on rallongea le *burni* des femmes jusqu'à la plante des pieds, on le renforça par un système de bandage qui comprimait les parties charnues et protubérantes et on le compléta par une capuche avec œillères incorporées qui enserrait fermement la tête; on l'appela le *burni qab*, le *burni* de la femme, qui donna *burniqab*; il était noir avec une bande verte pour les femmes mariées, blanche pour les vierges, grise pour les veuves. *Burni* et *burniqab* étaient taillés dans un tissu de laine écrue. À tout seigneur tout honneur, le *burni* des Honorables, appelé *burni chik*, était en velours, caparaçonné, doré, brillant, avec doublure de soie et passementeries en fils d'or et s'accompagnait d'une toque en hermine et de sandales en cuir de chevreau d'un jour, cousues avec du fil d'argent. La vêture se complétait d'un bourdon royal en bois de rose dont la crosse était incrustée de pierres précieuses. Leurs scribes et leurs gardes étaient aussi lourdement chamarrés. D'un simple regard, chacun savait donc à qui il avait affaire. Dans le principe de la soumission, il y avait, sous-jacent, le principe de l'uniformité et du marquage. Mais la réalité était un peu différente, les gens n'étaient pas si disciplinés et les pauvres n'avaient pas trop le goût des couleurs, encore moins chatoyantes, leurs *burnis* uniformément gris, sales et rapiécés de partout leur suffisaient. L'Abistan était un monde autoritaire mais peu de lois étaient réellement appliquées.

197

Toz semblait très à l'aise dans ses étranges vêtements. Ces choses n'existant pas en Abistan, il les désignait par des mots qu'il avait inventés ou trouvés on ne savait où : le bas du corps depuis la taille était pris dans un *pantalon* et le haut jusqu'au cou dans une *chemise* et une *veste*, les pieds étaient enfermés dans des *souliers* étanches, le tout boutonné, croisé, noué, ceinturé. C'était clownesque tout plein. Pour sortir et aller par les rues, il revenait à la norme, il se déchaussait, retroussait les jambes du *pantalon* à mi-mollet, enfilait de bonnes sandales tout-terrain, se jetait sur les épaules son *burni* de commerçant prospère, et le voilà invisible dans la foule anonyme.

Son arrière-boutique, où il poussa prestement les deux amis, était pleine à ras bord de curiosités venues d'une autre planète. Il n'avait pas rechigné, à chaque objet il avait trouvé un nom et savait à quoi il servait. Au fur et à mesure de la conversation, qu'il avait diserte, il les présentait à ses visiteurs, expliquant qu'ils étaient assis sur des *chaises*, autour d'une *table*, que les bois peints accrochés aux murs étaient des *tableaux*, et que là, sur les *bahuts* et les *guéridons*, ces petites choses qui égayaient le regard étaient des *bibelots*. Il continuait ainsi sans jamais hésiter ni se tromper, appelant chaque chose par son nom. Comment retenir tant de noms d'objets inconnus et dans une langue qu'on ignore ?

Mystère, les deux amis n'essayaient simplement pas de comprendre.

Pressé par leur sympathique étonnement, Toz se lâcha avec bonhomie :

« Ces choses vous surprennent, je le vois, mais si vous saviez vous verriez qu'il n'y a là rien que de très banal, on vivait ainsi en ces temps disparus dont on ne vous a jamais parlé. J'ai pu, avec patience et bien des difficultés, reconstituer dans ma boutique et mon logis un peu de ce monde dont j'ai la nostalgie bien que je ne l'aie pas connu, sinon par... mais peut-être ne savez-vous pas ce que c'est, des *livres*... Je vous en montrerai, mon logis là-haut en est plein... Je vous montrerai aussi des *catalogues*, des *prospectus*, ils sont chatoyants, ils vous parleront sans difficultés... Je ne les montre qu'aux amis... et à vrai dire je n'en ai pas dans ce rayon... Le vrai plaisir est égoïste... Quand je les vends, je transmets mon plaisir au client et je cherche d'autres plaisirs. »

Ati et Koa étaient fascinés, Toz était réellement merveilleux, ils étaient prêts à l'écouter toute la sainte journée. Ils n'imaginaient pas que des êtres pareils existaient sur terre. Ils étaient heureux et flattés, Toz avait autant confiance en eux qu'eux en lui, il leur disait tout... comme un *livre* ouvert.

Puis il en vint à l'objet de leur visite. En deux phrases, il leur montra qu'il savait tout et devinait le reste, il n'avait nul besoin qu'on se perde en explications.

« Je sais que vous cherchez un de vos amis, Nas de son nom, archéologue auprès du ministère des Archives, des Livres sacrés et des Mémoires saintes. Un garçon brillant qui fut chargé d'enquêter sur Mab, le village où notre merveilleux Délégué, le salut sur lui, a reçu la révélation du saint *Gkabul*. Au marché noir du trou de souris, vous avez par vos questions alarmé quelques honnêtes fonctionnaires qui naturellement ont rapporté votre démarche à leurs chefs et aux juges de la Santé morale. Ils ont été sévèrement punis pour s'être trouvés là et avoir entendu vos questions, c'est malheureux... Et de là, l'information a circulé de bouche à oreille et est arrivée à moi. C'est ainsi, tout finit par aboutir chez moi, je suis l'ami de tout le monde. Bon, dites-moi maintenant comment vous l'avez connu et parlez-moi de vous. Si vous voulez que je vous aide, il faut tout me dire. »

Ati et Koa n'hésitèrent pas une seconde. Ati raconta sa rencontre avec Nas quelque part sur le chemin du retour du sanatorium du Sîn vers Qodsabad et leurs longues conversations sur le mystérieux village découvert par les pèlerins. Nas était inquiet, il disait des choses bizarres qu'Ati n'était pas en mesure de bien comprendre, que sa découverte était la négation même de l'Abistan et de ses croyances. Koa prit le relais et raconta son histoire, sa révolte contre sa famille de génocidaires, ses retraites initiatiques dans les banlieues dévastées et les villages perdus, il parla de leur virée dans le ghetto de Balis et leur traversée de Qodsabad qui les avaient ancrés dans l'impression que l'Abistan n'existait pas, que Qodsabad n'était qu'un artefact, un décor de théâtre qui cachait un cimetière, et, pis, leur avaient fiché dans la tête la sensation affreuse que la vie était morte depuis longtemps et que les gens étaient à ce point endommagés par leur inutilité qu'ils ne voyaient pas qu'ils étaient de vagues relents de vie, des souvenirs douloureux qui erraient dans un temps perdu.

Ils terminèrent par la terrible histoire qui les avait amenés à quitter leur quartier pour aller solliciter l'aide de Nas : la désignation de Koa comme Pourfendeur dans le procès d'une jeune femme, mère de cinq enfants, accusée de blasphème et promise au stade.

Une grande partie de la journée, ils parlèrent de ces choses mais, la simple conversation ne suffisant pas pour dire ce qui dépasse l'entendement, ils en vinrent à philosopher sur la vie en général, ce qui fait passer le temps et creuse l'appétit. Toz leur offrit une collation originale, des aliments qu'ils ne connaissaient pas, *pain blanc, pâté, fromage, chocolat,* et une boisson amère, brûlante, qu'il appelait *café*. À la fin, il sortit du *buffet* une corbeille de fruits, bananes, oranges, figues et dattes. Ati et Koa sautèrent au plafond,

food more prestigious in different areas

ils pensaient que ces choses avaient disparu de la terre avant leur naissance et que les dernières récoltes étaient réservées aux Honorables. Après cela, Toz sortit de sa poche un petit attirail avec lequel il confectionna une tige blanche longue de quatre doigts bourrée d'herbe séchée, la mit entre ses lèvres, alluma le bout libre et se mit à faire de la fumée. L'horrible odeur ne le dégoûtait pas, elle le ravissait. Il parla de *cigarette* et de *tabac* et dit que c'était son péché mignon. C'était lourd de se reconnaître un péché dans un monde où le péché était mortel.

La conclusion était claire, Toz vivait dans un univers à lui qui n'avait rien à voir avec l'Abistan. Était-il abistanais ? D'où venait-il, d'où tenait-il son pouvoir, que faisait-il dans ce quartier si médiocre, qui ne vivait et ne survivait que par ce que l'Abigouv jetait du haut de ses remparts ? Lui-même ne payait pas de mine, il était petit, râblé, voûté, avait le cou grêle, les mains ridiculement petites et comptait une cinquantaine flasque et grise. Il brillait seulement par son regard, sa culture, son intelligence, son charisme et cette aura de mystère qui flottait autour de lui. Comment ces qualités lui étaient-elles venues, était-il né ainsi tel un génie qui sort tout armé de sa lampe magique, les avait-il acquises de la vie ? C'étaient en tout cas ces qualités qui avaient fait de lui ce qu'il était, le roi du quartier.

Il resta silencieux un long moment, le temps de griller deux cigarettes et siroter deux cafés, puis il se tourna vers eux et leur dit d'un ton ferme :

« Voilà ce qu'on va faire : je vais vous installer dans un endroit sûr, un mien entrepôt à deux pas d'ici, le temps que je me renseigne sur votre ami. Après, on avisera. »

Puis avec un petit sourire dans les yeux : « Que m'offrirez-vous pour ma peine ? »

Koa sortit d'une poche secrète de son *burni* un chiffon, le déplia, prit le papier qui s'y trouvait et le tendit à Toz. Celui-ci le lut, les regarda et éclata de rire. Il glissa le feuillet dans le tiroir de la table et dit : « Merci, c'est un présent très précieux, il complétera ma collection de belles reliques. Bon je dois sortir maintenant, j'ai un client à voir... Venez, je vous installe là-haut... Ne faites pas de bruit, ne vous approchez pas des fenêtres, s'il vous plaît... Je reviens en fin de journée... À la nuit tombée, je vous conduirai à l'entrepôt. »

Sur ce, il chaussa ses sandales, enfila son *burni* et disparut dans la poussière des rues. Il y avait quelque chose de furtif dans ses gestes qui donnait à imaginer des choses, mais aussi tout était fin et délicat chez lui, ce qui effaçait ces choses.

Livrés à eux-mêmes, les deux amis en profitèrent pour explorer le logis du mystérieux et sympathique Toz. Ils étaient perdus, tout ce qu'ils voyaient venait là aussi d'une autre planète. Comment nommer ces objets et dans quelle langue ? Comme dans l'arrière-boutique, il y avait une *table*, des *chaises*, un *bahut*, des *tableaux* et quantité de *bibelots* très amusants. Et d'autres objets réellement bizarres. S'il existait pareils logis dans Qodsabad, ils appartenaient à de richissimes dignitaires, à qui d'autre, et ces richissimes dignitaires connaissaient forcément leur fournisseur, Toz, il n'en était pas d'autre dans tout l'Abistan, il l'avait dit lui-même. La loi était l'uniformité pour tous et lui était la miraculeuse exception qui la confirmait. C'était bien un mystère qu'un homme fût unique dans la masse compacte. Le peuple, lui, ne savait rien de ces originalités, il était logé à son enseigne, un monde terne, des quartiers ruinés, des immeubles brisés, des maisons fatiguées, des baraques branlantes, une pièce ou deux, nues, un coin toilette, tout se faisait au sol, cuisiner, manger, dormir, on avait un *burni* par personne qu'on raccommodait à l'infini jusqu'au jour dernier où il se transformait en linceul, et une paire de sandales qu'on ressemelait autant qu'il était possible de le faire. Un mauvais processus était à l'œuvre, comme on ne savait pas réparer l'ancien avec du neuf, on le faisait avec de l'ancien, du même âge, et ainsi on entretenait soi-même le mal que l'on cherchait à éliminer. Oui, mais où trouver des idées nouvelles dans un monde ancien?

Toz revint en fin d'après-midi, tout aussi furtivement. Il était harassé et pensif. Il s'affala sur sa chaise, se servit deux cafés et fuma deux cigarettes pour se remonter. Puis, les prenant au débotté alors qu'ils étaient fascinés de le voir éjecter par le nez la fumée qu'il avalait par la bouche, il leur posa une drôle de question :

« Avez-vous jamais entendu parler d'un certain Démoc?

— D... dimouc? C'est quoi?

— Un fantôme... une organisation secrète... personne ne sait... Il arrive que des gens en parlent, il paraît », dit-il avec une certaine lassitude qui empruntait à l'ennui, à l'incrédulité.

Ati et Koa ne comprenaient pas. Ils se regardaient avec étonnement, presque apeurés, ils prenaient conscience que découvrir le monde, c'était entrer dans la complexité et sentir que l'univers était un trou noir d'où sourdaient le mystère, le danger et la mort, c'était découvrir qu'en vérité seule existait la complexité, que le monde apparent et la simplicité n'étaient que des tenues de camouflage pour elle. Comprendre serait donc impossible, la complexité saurait toujours trouver la simplification la plus attirante pour l'empêcher.

Ati eut comme une inspiration... Des souvenirs lui revenaient en mémoire... le sanatorium... le froid, la solitude, la faim... et le délire durant le sommeil... Oui, il se souvenait... les caravanes qui disparaissaient tout là-haut près du ciel, dans l'entrelacs des pics et des cols, derrière on ne savait quoi au juste... une frontière... une ligne imaginaire... des soldats torturés et tués... le silence des gens... qui ne parlaient pas, parce qu'ils n'avaient jamais parlé, parce qu'ils ne savaient rien et n'avaient aucun moyen de savoir... Pourtant, derrière ces disparitions, ces meurtres, cette atmosphère chargée de menaces se tenait fatalement quelque chose, quelqu'un... une ombre... un fantôme... une volonté... une organisation secrète... Serait-ce cette chose... cette personne... Démoc... Dimouc? Ati était sûr d'avoir entendu le mot, ou quelque chose qui y ressemblait... mais c'était une élucubration de malade... Quelqu'un avait parlé de... démo... démoc... démon?... Il avait aussi parlé de torture... mais ne savait pas ce que ce mot signifiait...

Quand la nuit arriva, Toz les emmena à l'entrepôt, qui n'était pas à deux pas de la boutique comme annoncé mais à l'autre bout du quartier, et on y allait par un dédale n'obéissant à aucune bonne logique humaine. Il y a une grande intelligence dans un labyrinthe, là non, le chemin avait suivi le vent, il était très changeant... L'obscurité les cernait de près dans des rues désertes que traversaient de loin en loin des ombres furtives. Toz se guidait à l'instinct. Voilà, c'était là. Cet endroit lugubre, cette grande masse sombre, c'était l'entrepôt, un cube, une base de béton portant un assemblage de tôles rouillées. On ne distinguait que ce qu'un ciel sans lune, pauvrement étoilé, permettait de voir, des galetas fantomatiques à droite et autant à gauche, prenant en sandwich une ruelle poussiéreuse où traînaient des familles de chats et de chiens éreintés par la faim, la scrofule et les mauvais coups comme tous les chiens et chats de Qodsabad. On entendait au loin, ou tout à côté, quelque chose de magique dans ce néant pesant, un bébé qui pleurait et une femme qui chantait une berceuse. Toz ouvrit la porte. Un bruit métallique en écho. Il craqua une allumette; des ombres géantes surgirent de la nuit et se mirent à danser follement sur les murs. Un air renfermé leur sauta au visage, une odeur complexe : du pourri, du rouillé, du fermenté, de la bestiole morte, des choses dévorées par la moisissure. Il craqua une autre allumette et alluma une bougie plantée dans un lourd chandelier. Une lumière de misère s'éleva, jaune et noire, environnée de ténèbres vacillantes. Des meubles ici et là, des malles, des sacs, des tonneaux, des jarres, des machines, des statues, des caisses débordant de bimbeloterie. Au fond, un escalier métallique et là-haut deux pièces en enfilade, basses de plafond. Dans la deuxième, un cageot contenant de la vaisselle, contre le mur un coffre, un banc et, empilées sur une étagère, des couvertures, dans un coin un seau plein d'eau, à côté un pot de chambre. Sur le mur externe, un vasistas que Toz s'empressa d'aveugler avec un vieux chiffon. « Mon commis, Mou de son nom, vous apportera à manger quand la nuit sera tombée. Personne ne remarquera ses va-et-vient, il sait se rendre invisible. Il déposera le couffin dans un coin à l'entrée de l'entrepôt. Ne lui parlez pas, il est sourd et un peu simplet. Soyez discrets, ne sortez pas, n'ouvrez à personne, les espions sont sur les dents, ils voudraient bien se faire un peu d'argent sur votre dos… Quelqu'un les a activés, un *mouaf* de l'Appareil, un commissaire d'arrondissement… ou quelqu'un de haut placé », dit-il après les avoir installés.

Avant de partir, il ajouta : « Soyez patients… Je dois faire preuve de prudence, l'affaire est délicate… très délicate. »

Les deux amis explorèrent les lieux, un peu à tâtons, l'obscurité ne se laissait percer que par les mains.

L'entrepôt avait triste mine, il avait clairement connu mille faillites au cours de sa carrière, il branlait et grinçait de partout. Les vieilleries qu'il renfermait ajoutaient à la désolation. Toz les chérissait comme des trésors, à ses yeux l'antique seul avait de la valeur et elle était proportionnelle au nombre des années qui les habitaient. Si Toz en amassait tant, c'était pour les vendre, et s'il les vendait c'était qu'il y avait des acheteurs, voilà un autre mystère. « Mystère » était le mot qui leur revenait le plus souvent à l'esprit.

Cette nuit-là, ils dormirent comme jamais. Trop de fatigue, de tension, d'attente, et tant d'énigmes dans l'air.

Quelque part dans la nuit, alors qu'il se remémorait ce temps de mort lente passé au sanatorium,

Ati entendit encore ces voix dans le lointain, un bébé qui pleurait et une femme à la voix chaude qui chantait une berceuse. La vie n'était pas entièrement morte, se dit-il en songe.

L'attente s'éternisait. Huit interminables jours étaient passés dans la plus parfaite vacuité. Les deux amis se rongeaient les sangs, à chaque instant ils se demandaient si Toz les négligeait ou si son enquête s'était embourbée quelque part. Ils se rassuraient lorsque le soir venu, aux alentours de la septième prière de la sainte journée, ils entendaient le fidèle Mou entrer furtivement dans l'entrepôt, déposer son couffin avec un jerrycan d'eau et disparaître silencieusement. Leur hôte ne les avait pas oubliés, du moins pour ce qui était de leur pain quotidien. Pour avoir goûté aux dures joies de Qodsabad, ils imaginaient sans peine quel exploit ce devait être de seulement entrer dans l'Abigouv. Questionner des machines qui n'avaient jamais su qu'elles pouvaient parler si elles le voulaient et approcher des chefs sans doute invisibles et redoutables pour leur soutirer des secrets relevait simplement de l'impossible. Mais Toz était Toz, l'impossible n'était rien pour lui.

Très vite, en un jour ou deux, ils avaient appris à vivre à l'ancienne, à s'asseoir sur des chaises sans avoir le vertige, à se mettre à table avec dignité, à manger dans des assiettes individuelles des aliments qu'ils ne savaient pas nommer, ni dire s'ils étaient inoffensifs ou mortels, licites ou illicites, à boire du café qui les tenait éveillés toute la nuit comme des hiboux. Quand même, la *hir*, la bouillie nationale, commençait à furieusement leur manquer. Parfois, quand la brise soufflait dans la bonne direction, son parfum d'épice brûlée montait de la ruelle et venait leur titiller le bout des naseaux. Ils entrebâillaient alors le vasistas pour en prendre un peu plus dans le nez, et en éternuaient de plaisir. Le fumet s'exhalait de la masure d'en face d'où parfois, lorsque le silence de la nuit amplifiait les bruits, leur parvenaient des pleurs de bébé et ce chant si doux qui les accompagnait fidèlement.

Un matin brillant de lumière et de légèreté, ils aperçurent cette femme invisible à la voix si mélodieuse, elle était dans sa cour, dix *siccas* carrés bétonnés, du bric-à-brac dans un coin, une citerne d'eau dans l'autre, une bassine au centre, à côté un chaudron sur trépied au-dessus d'un feu de bois, et contre le mur un arbre sec où s'accrochait du linge. La matrone avait du volume et des rondeurs pour toute une famille, de gros seins aveuglants de blancheur capables de nourrir une nichée de petits gargantuas ; le bébé était tranquille quant à son alimentation et son confort, il dormait à poings fermés dans un panier suspendu à une branche basse de l'arbre. L'heureuse maman était accroupie devant sa bassine, laissant voir un arrière-train particulièrement épanoui, et battait la lessive avec un vrai bonheur. C'était à cela qu'elle s'employait, laver des couches et des bavoirs, en chantant une petite chose romantique dont le refrain disait à peu près ceci : « Ta vie est ma vie et ma vie est ta vie et l'amour sera notre sang. » En *abilang*, la rime est riche, la vie se dit *vî*, l'amour *vii* et le sang *vy*. Au total cela donne : « *Tivî is mivî i mivî is tivî, i vii sii nivy.* » La déclaration d'amour était adressée à Abi, il ne faut pas se tromper, ce merveilleux vers sortait du saint *Gkabul*, titre 6, chapitre 68, verset 412, mais l'intention profonde était autre, en l'occurrence. La fidèle maman avait trop à faire pour se perdre dans la religion, sa vie et son bonheur, c'était son bébé et celui-ci était un pleurard difficile, il savait réclamer son dû. Il y avait aussi un mari dans l'affaire. Les deux amis l'avaient aperçu une fois, une ombre furtive flottant dans un *burni* de clochard. Il rentrait tard le soir et sa façon de tousser et de s'étouffer laissait entendre qu'il ne tarderait pas à trépasser. Cette maisonnée était l'image de la vie domestique, sympathique et tragique.

Un autre jour, ils entendirent des tirs. Au jugé, ils en situaient l'origine à deux *chabirs* dans la direction de l'entrée monumentale de l'Abigouv. Puis il y eut une explosion (roquette, bombe, grenade ?) qui fit vibrer l'entrepôt. La maman qui balayait sa courette en chantonnant n'avait pas hésité un quart de seconde, elle avait enfoui le bébé entre ses seins antichocs et tête baissée était rentrée s'abriter dans le logis qu'une mini-tempête aurait pu emporter dans les airs sans le voir. Les deux amis pensèrent à des Regs qui auraient tenté une incursion dans l'Abigouv ou, pourquoi pas, à un possible retour de l'Ennemi. Ils oublièrent aussitôt l'événement, les alertes étaient monnaie courante à Qodsabad et n'avaient jamais de suite, les gens savaient ce qu'il en était, le but de ces semonces était d'inquiéter les mauvais croyants et de les rappeler à leurs devoirs. Sous le règne du *Gkabul*, la foi commençait par la peur et se poursuivait dans la soumission, le troupeau devait rester groupé et marcher droit vers la lumière, les bons n'avaient aucunement à payer pour les mauvais.

L'ennui se faisait oppressant et il n'y avait rien pour soulager la douleur. Pour étonnant qu'il était, le contenu de l'entrepôt ne pouvait longtemps distraire deux esprits avides d'action et de vraie vérité. Tous ces mois passés, Ati et Koa n'avaient pas manqué d'aventures, de désespoirs ni de bouleversants questionnements, et ce repos forcé dans le confinement et le noir les épuisait plus que tout. Le syndrome de l'ermite les guettait. Réagir, oui, mais comment?

Au neuvième jour de réclusion, alors qu'ils avalaient tristement leur cuisine, une idée avait jailli dans le noir, si exaltante qu'ils l'adoptèrent

séance tenante, au diable les risques et la prudence : ils allaient sortir prendre l'air et, mieux,
ils pousseraient jusqu'à la porte principale de la
Cité de Dieu, histoire de voir de plus près l'impressionnant Abigouv, la sainte et très extraordinaire Kiïba, mystérieuse et si attirante avec sur
les quatre faces de son pyramidion, tout là-haut,
près du ciel de Yölah, l'œil magique de Bigaye
scrutant sans répit le monde et les âmes qui l'habitaient. Ils verraient aussi la belle et élégante
Grande Mockba où trois décennies durant le
mockbi Kho, le grand-père de Koa, avait officié.
C'est de là que sa voix magique, relayée par de
puissants haut-parleurs, s'emparait des foules,
plusieurs dizaines de milliers de personnes mas-
sées alentour, les mettait en transe et sans façon
les envoyait mourir pour Yölah. Le gros des
troupes des trois dernières Guerres saintes était
parti de là, les oreilles pleines des cris héroïques
du *mockbi* Kho.

Les deux amis se disaient qu'ils ne pouvaient pas avoir tant cheminé et affronté tant
d'étranges folies sans toucher le but : il était là,
à portée de main, à deux ou trois *chabirs*. Ce
disant, il leur revint en mémoire un précepte en
forme de quatrain appris à l'école gkabulique
qui enseignait que :

Prier de cœur au pied de la Kiïba
Et de foi jurer fidélité à Abi
À la mort venue rachète mille péchés grands et petits.
Et l'âme légère de rejoindre Yölah.

Koa se souvint dans la foulée que des condisciples de l'École de la Parole divine, tous fils de nobles princes et de richissimes marchands, et pasticheurs en diable, en avaient tiré une paillarde rengaine qui un jour, au bout du compte, leur avait rapporté mille coups de fouet en soie équitablement distribués :

Prendre à cœur de tirer la kikete
Et de foi sans habit jouer aux billes
Mordre la raquette et grandes et petites peines chasser.
Et la queue légère de remettre au fourreau.

Ils en rirent, quoi d'autre ? Il n'y avait ni blasphème ni menterie en ces vers vivaces.

Comme des ombres, ils se glissèrent dans l'obscurité. Quelque part, un chien aboyait rageusement, on devinait qu'il promettait la mort à son fidèle petit ennemi, lequel, sans doute perché à bonne hauteur, lui répondait de loin en loin par des miaulements brefs et innocents.

Ils s'approchèrent de la maisonnette qui les enchantait par ses pleurs et ses chants d'amour et se tinrent là, comme dans un rêve, à écouter ronronner la vie domestique, à sentir sa bonne tiédeur, à humer ses odeurs et ses parfums de doux terrier.

La torpeur menaçait. Ils s'ébrouèrent et reprirent leur chemin.

Plus loin, sous l'auvent d'une bâtisse délabrée qui semblait être ou avoir été une *midra*, ou un *soku*, une halle, ils aperçurent un groupe d'hommes palabrant avec une ardeur contenue, portant qui un sac, qui un couffin, qui un baluchon, qui un cageot, qu'ils échangeaient prestement, de la main à la main. Dix pas derrière, ici et là, adossées aux murs, des ombres, des hommes de main chargés du guet et de la sécurité des gros bonnets. Pas de doute, un marché noir s'était organisé là, une rencontre de professionnels aguerris, commerçants, receleurs, contrebandiers. Parmi eux, des Regs, ils étaient partout, de tous les coups, ils avaient la bosse des affaires et topaient toujours avant les autres ; encerclé comme il était, le trafic était la seule ressource du ghetto, on s'y passait le métier de père en fils. Mais comment faisaient-ils pour venir de si loin sans se faire attraper ? Leur odeur et leur regard d'oiseaux nocturnes les dénonçaient au premier venu.

Les deux amis passèrent leur chemin, ils n'avaient ni à vendre ni à acheter, et aucun besoin d'ennuis.

La surprise les attendait au tournant, un *chabir* devant. Vision grandiose, bouleversante : voici enfin l'unique, l'incomparable Cité de Dieu, la Kiïba, la Grande Mockba et l'Abigouv, le tout-puissant gouvernement des croyants sur terre. Quelle émotion ! Ici était le centre du monde et de l'univers, le point de tous les départs et de toutes les arrivées, le cœur de la sainteté et du pouvoir, le pôle magnétique vers lequel se tournaient les peuples et les individus pour louer leur Créateur et implorer ses représentants.

En ce lieu, l'atmosphère était si intensément mystique qu'un athée fervent en aurait perdu la raison sur-le-champ, la foi se serait emparée de lui, l'aurait débarrassé de toute vaine prétention et l'aurait jeté à genoux, front contre terre ; c'est pleurant et tremblant qu'il se serait entendu prononcer la profession de foi qui aurait fait de lui un croyant parmi les plus croyants : « *Il n'y a de dieu que Yölah et Abi est son Délégué.* » De lui, l'homme, heureux croyant ou malheureux zombie, il n'était pas question dans la formule, il n'était rien dans la transaction entre Yölah et Abi, c'était une affaire privée. Yölah avait créé Abi et Abi avait adopté Yölah, ou l'inverse, et tout s'arrêtait là.

Ati et Koa se sentaient écrasés par la majesté, tout était colossal, démesuré, au-delà des dimensions humaines. Au pied de la forteresse s'étendait une place illimitée richement éclairée qu'aucun regard ne pouvait embrasser d'un coup, pavée de dalles translucides teintes de toutes les nuances du vert ; elle comptait plus de mille *hectosiccas* carrés et portait le nom sublime de place de la Foi suprême. L'entrée de la Cité était marquée par une voûte cyclopéenne, appelée la Grande Arche du Premier jour, dont l'arc se perdait dans les nuages. Les piliers étaient à l'avenant, ils comptaient soixante *siccas* de large et trois cents de portée sous voûte, et s'imbriquaient dans le pharaonique rempart qui ceinturait la Cité de Dieu – écrin fabuleux de la Kiïba, de l'Abigouv, de la Grande Mockba – ainsi que les casernes de la prestigieuse garde abigouvienne et plus loin, cachées dans leur propre fouillis et reliées à la cité par des tunnels invisibles, les casbahs des fonctionnaires. Toute la substance du monde était là, concentrée entre ces inébranlables remparts : l'éternité, la puissance, la majesté et le mystère. Ailleurs était le monde des hommes, un jour il existerait peut-être.

Autre surprise : la place était noire de monde, les deux amis n'en avaient jamais vu autant, même en rêve. Elle était ainsi, jour et nuit, toute l'année, depuis toujours. Les gens venaient des soixante provinces de l'Abistan en troupeaux entiers, à pied, en train, en camion, et à l'entrée étaient dûment contrôlés, comptés, parqués. La nuée était répartie en trois blocs séparés par des couloirs délimités par des barrières métalliques dans lesquels circulaient, tels des roitelets dans leurs fiefs, des chaouchs armés de fouets et de *kovs*, des fusils-mitrailleurs datant d'avant la Révélation : d'abord le bloc des pèlerins (quelques dizaines de milliers) qui venaient se recueillir au pied de la Kiïba avant de prendre la route vers de lointains pèlerinages ; puis celui des solliciteurs, fonctionnaires, commerçants et simples citoyens (plusieurs dizaines de milliers) chargés de dossiers, qui attendaient leur tour d'entrer dans l'Abigouv pour atteindre tel ministère ou telle administration ; et le troisième enfin, admiré de la foule des badauds et des enfants contenue aux abords de la place, le bloc des volontaires (plusieurs milliers), les uns postulant à un départ immédiat au front, les autres venus s'inscrire pour la prochaine Guerre sainte, qu'ils préféraient prendre à son commencement pour en connaître toutes les joies. Et partout, alentour, empressés et bourdonnants, et tellement inventifs pour tromper le chaouch, des vendeurs de casse-croûte, des marchands d'eau, des loueurs de couvertures, des lavandiers, des guérisseurs, des gamins qui vendaient des places dans la queue ou se louaient pour les garder, l'attente pouvant durer des semaines, des mois. Ici il n'y avait ni jour ni nuit, ça ruait d'un bout à l'autre de l'année. Des légendes couraient dans les rangs, histoire de tuer le temps, on parlait souvent de ce vieil homme qui avait passé une année et des poussières dans la queue des solliciteurs et qui, parvenu au guichet des entrées, ne se souvenait plus du motif de sa démarche. Or sans motif, pas de ticket d'admission. L'homme était oublieux mais pas bête, il mit sa place aux enchères. C'est un richissime marchand qui emporta la mise, il ne pouvait s'éloigner de ses affaires plus d'une journée, il les avait laissées sur le feu. Fortune faite, le

vieil amnésique s'acheta un toit, convola en sep-
tièmes noces avec une gentille gamine de neuf
ans qui venait juste de faire sa première perte de
sang, lui donna sept ou onze jolis bébés et vécut
heureux jusqu'à la fin. Sur son lit de mort, alors
que personne ne lui demandait rien, il se souvint
dans un éclair de ce qui l'avait un jour conduit
dans la queue des solliciteurs, il venait s'enqué-
rir des suites réservées à une sienne demande
de logement... ou d'emploi... ou d'aide d'urgence... vieille d'une année... ou peut-être de
dix ou trente ans.

Les deux amis apprirent qu'il existait un quatrième bloc, installé à un *chabir* plus à l'est, un
endroit sombre et silencieux, le bloc des prisonniers, plusieurs milliers enchaînés par centaines,
qui attendaient d'être bénis et envoyés au front.
Les uns étaient des prisonniers de guerre pris
sur l'Ennemi, qui refusaient les camps de la
mort et qui avaient choisi de se convertir au
Gkabul et de retourner au front, mais du bon
côté cette fois; les autres étaient des condamnés à mort abistani, de la canaille, des rebelles,
des bandits de grand chemin qui avaient refusé
la mort au stade ou dans les camps et choisi
de devenir des kamikazes, ils seraient envoyés
au front en première ligne pour se faire sauter
chez l'Ennemi. Intégrer ce bloc était une faveur
qui n'était pas accordée à tous les condamnés
à mort (et jamais aux Regs), mais seulement à
ceux qui manifestaient un vrai désir de servir

l'Abistan au nom de Yölah et d'Abi, le salut sur eux. C'est ce qu'un vieux badaud avait appris à Ati et Koa, il disait avoir eu lui-même un fils qui avait échappé au stade en se portant volontaire pour aller dire bonjour à l'Ennemi. « Il est mort en martyr, ce qui me vaut une belle pension et la priorité dans les magasins de l'État », dit-il fièrement en éclatant de rire.

Ati eut une pensée émue pour son ami et compagnon de voyage, Nas. Ici il vivait dans la grandeur et le mystère, dans la folie noire et la servitude absolue. Qu'était-il devenu, où était-il ? Ati comptait sur Toz pour le savoir et lui venir en aide.

Un homme s'approcha d'eux, un professionnel : il avait vraiment l'air du trafiquant honnête et efficace qu'il voulait se donner, sa mère s'y serait trompée. Depuis un moment il les observait, les deux amis l'avaient remarqué. Il leur dit :
« Si vous désirez une place bien située dans la file d'attente, j'en ai d'excellentes à vous proposer... Je vous ferai un prix d'ami.
— Ça ira, mon frère, nous ne sommes que des badauds...
— Je peux aussi vous procurer des papiers, des rendez-vous, des produits introuvables et toutes sortes de renseignements...
— Voyons voir ça... que peux-tu nous dire sur un certain Nas ? Il travaille à l'Abigouv, au service archéologique. »

Le marchand de biens et de services sourit comme s'il se préparait à révéler de grands secrets :

« Que voulez-vous savoir au juste ?

— Ce que tu peux nous apprendre à son sujet.

— Mais encore ?

— Où habite-t-il, par exemple ? On voudrait lui rendre visite...

— Donnez-moi une avance et revenez demain, vous aurez l'information... Moyennant un petit supplément, je vous conduirai chez lui et même je vous l'amène ici. »

Les deux amis se lassèrent vite de jouer à « que le plus malin gagne ». Il était temps de retourner à l'entrepôt pour l'atteindre avant le lever du jour, les espions seraient bientôt sur le pied de guerre.

Dix pas plus loin, alertés par un sixième sens qui s'était aiguisé en eux au cours de leur périlleux et absurde périple à travers Qodsabad, ils se retournèrent et virent le marchand de services en train de les désigner du doigt à la patrouille. Le marchand était aussi un espion et un Judas.

Ils n'hésitèrent pas une seconde, ils prirent leurs jambes à leur cou. Les chaouchs n'hésitèrent pas davantage, ils se mirent à crier et à défourailler dans tous les sens. Ati lança à Koa : « Séparons-nous... Prends à gauche, cours... On se retrouve à l'entrepôt... Cours... vite ! »

Le dédale étroit et obscur du A19 jouait pour

eux mais les poursuivants avaient de leur côté le nombre et déjà ils étaient rejoints par des renforts sortis de la foule des badauds.

La nuit les avala au premier tournant.

De loin en loin, ils entendirent des tirs puis... plus rien.

Ati courut autant qu'il put, une heure, deux heures. Ses pieds lui faisaient horriblement mal et ses poumons d'ancien scrofuleux étaient en feu. Il s'enfonça dans une impasse étroite et s'effondra derrière un amoncellement d'ordures qu'une dizaine de matous particulièrement patibulaires gardaient avec fermeté. Ils sifflèrent à ses oreilles, tous crocs et griffes dehors, puis le voyant si pitoyable reprirent leur garde assoupie au sommet de leur garde-manger.

Une heure plus tard, Ati reprit son chemin et cahin-caha, de détour en égarement, atteignit l'entrepôt au moment où les *mockbas* commençaient à sonner l'appel des croyants pour la première prière de la sainte journée. Il était quatre heures. À l'autre bout de la ville, la nuit laissait passer le premier rayon de lumière. Ati gagna sa couche, s'enroula dans sa couverture et s'endormit. Il eut le temps de se dire que Koa n'allait pas tarder à rappliquer et qu'il serait heureux de voir son ami sain et sauf, roupillant comme s'il ne s'était rien passé.

Le soleil n'était pas complètement sorti de la nuit que Toz déboulait dans l'entrepôt et sans ménagement tirait Ati du cauchemar dans lequel il se débattait. Celui-ci bondit de sa couche comme si dix chaouchs s'étaient jetés sur lui pour l'étrangler. Il n'eut pas le temps de se reprendre qu'il retombait dans le désespoir : il vit que Koa n'était pas rentré, sa couche était vide !

« Réveille-toi, bon sang, réveille-toi ! » criait Toz.

Toz n'était pas du genre à se perdre dans la dispute, c'était une tête froide. Il prit Ati par le col et le secoua violemment. Dans sa voix, il y avait assez d'autorité pour mettre au garde-à-vous une compagnie de rebelles.

« Assieds-toi et raconte-moi ce qui s'est passé !

— Je... euh... nous sommes sortis prendre l'air... et nous avons poussé jusqu'à l'Abigouv...

— Et voilà le résultat, le quartier est en état en siège, les chaouchs fouillent partout et les gens se dénoncent à qui mieux mieux... On n'avait vraiment pas besoin de ça...

— Je suis désolé... Et Koa... avez-vous des nouvelles?

— Aucune pour l'instant... Je vais t'installer ailleurs, l'entrepôt n'est plus sûr... Impossible de sortir maintenant, tu vas te cacher dans un cagibi que j'ai aménagé en bas derrière un faux mur pour dissimuler des pièces rares... et ce soir ou demain, quelqu'un viendra te chercher pour te conduire dans une autre planque... Il s'appelle Der, suis-le sans poser de questions... Bon, je file, j'ai des dispositions à prendre.

— Et Koa?

— Je me renseigne... S'il a été arrêté ou tué par les chaouchs, je le saurai tantôt, sinon il faudra attendre... Ou il est caché quelque part et il finira par se manifester... ou il est mort dans un fossé et son cadavre sera bientôt découvert. »

Ati se prit la tête dans les mains et éclata en sanglots. Il s'en voulait, il était responsable de tout, il se rendait compte qu'il avait exercé une influence néfaste sur Koa et n'avait même jamais tenté de réfréner son ardeur naturelle. Pis, il avait profité de sa naïveté, il l'avait enflammé avec ses discours de sergent recruteur sur le bien et le mal et de justicier en quête de vérité. Comment aurait-il pu résister? Il était un révolté-né, il n'avait besoin que de trouver une cause.

Ati tournait fébrilement dans l'entrepôt. Il avait repéré tous les trous et les interstices dans le bardage du hangar et, au moindre bruit, il courait de l'un à l'autre pour tenter de voir ce qui se passait à l'extérieur, prêt à rejoindre sa cachette. En regardant par le vasistas, il aperçut une ombre derrière la fenêtre de la maisonnette d'en face, la silhouette d'une femme riche en volume. Il reçut un choc car elle le regardait et le désignait du doigt à une personne derrière elle. Il bondit en arrière. Il fit tout pour se rassurer : c'était une impression, une illusion d'optique, se dit-il, la bonne maman était l'innocence faite femme, elle vaquait au soin de son ménage, un reflet sur le carreau du vasistas avait attiré son attention, ou elle montrait quelque chose à son bébé pour le distraire, un nuage rigolo, un lézard courant sur le bardage, un pigeon qui se toilettait gentiment dans la gouttière du hangar.

Il redescendit et s'enferma dans le cagibi, s'efforçant de respirer profondément pour calmer les battements de son cœur et dominer sa peur. Il avait mal à l'âme et son corps était une plaie vive. Bientôt il cessa de respirer, il sombrait dans une léthargie grave.

Il passa la journée ainsi, entre sommeil nerveux, mort profonde et semi-inconscience.

Il se réveilla alors que le jour finissant prenait les couleurs tristounettes du crépuscule et que les craquements du hangar se faisaient lugubres et montaient en volume. Il tenta de se lever mais ses membres ne lui obéissaient pas, les fourmis les avaient colonisés et son esprit était mort, anesthésié par la douleur.

Un long temps s'égrena pendant que dans son crâne une voix lointaine répétait inlassablement : *Lève-toi… lève-toi… lève-toi… lèv…* Elle finit par atteindre un point sensible et faire contact, il entrouvrit alors les yeux et un peu de lumière entra dans son cerveau… Un élancement aigu irradia son corps, pendant que la voix se faisait pressante : *Lève-toi… Tu es vivant, bon sang… tiens-toi prêt…*

Dans un sursaut de volonté, il se redressa et se mit à boitiller d'un bout à l'autre du hangar pour chasser les fourmis de ses membres et s'aérer la tête.

Il se fit un plein d'excitation dans le cerveau en avalant d'un trait tout le broc de café restant de la veille. Il avait besoin de réfléchir, une chose ne collait pas. Et même plusieurs.

Il repassa dans sa tête le film des événements. Il comprenait d'abord combien Koa et lui-même avaient été négligents. Bien sûr, c'était évident après coup, la place de la Foi suprême était sous haute surveillance, avec des caméras partout et des légions de chaouchs et d'espions hyperregardants, il ne saurait en être autrement, le site était hypersensible. Quand d'autre part on s'était fait une habitude de vivre hors de la loi et de la religion dans un monde pétri dans la tyrannie et la piété la plus archaïque, on avait forcément un petit quelque chose de pas normal

state surveillance 227

dans la dégaine, dans la voix, ça se voyait, ça s'entendait, ça dérangeait, et de ce point de vue les deux amis étaient les plus hérétiques qui furent et les moins respectueux de la loi. Quand de plus on s'intéressait à quelqu'un comme Nas, que des lois spéciales avaient placé parmi les premiers ennemis de l'Abistan, on était forcément louche, on était soi-même un grand ennemi de l'Abistan. Le problème était bien là : était-ce parce qu'ils avaient l'air exotique que le marchand de biens les avait remarqués et signalés à la patrouille, à toutes fins utiles pourrait-on dire, ou les avait-il dénoncés parce qu'ils s'intéressaient à Nas ? Dans ce cas se posait une question forte : comment ce pauvre diable qui vivait de petits trafics sur le dos de ces foules moutonnières et ahurissantes qui hantaient les abords de la Cité de Dieu pouvait-il connaître l'existence de Nas ? Un archéologue ça ne court pas les rues, Nas était un fonctionnaire parmi les cent cinquante mille agents de l'Abigouv. Et encore plus étrange : comment pouvait-il savoir que celui-ci était mêlé à une affaire d'État parmi les plus secrètes, qui lui avait valu d'être arrêté, tué, déporté peut-être ? Le petit trafiquant était-il en réalité un grand policier ou le chef de quelque chose, une cellule spécialisée de l'Appareil, une officine attachée à un clan ou à un autre de la Juste Fraternité ? Donnait-il un ordre à la patrouille quand il lui désignait du doigt Ati et Koa, ou le bougre faisait-il son larbin pour obtenir quelque faveur d'elle ? Peut-être aussi

qu'il les filait depuis longtemps… Mais oui, sans
doute… depuis qu'ils avaient quitté l'entrepôt…
et même avant, lorsqu'ils étaient arrivés chez
Toz… ou quand ils se renseignaient sur Nas au
marché du trou de souris… et avant par d'autres,
des ombres qui de quartier en quartier lors de
leur traversée de Qodsabad s'étaient passé le
relais jusqu'à lui… Et bien avant encore…
depuis longtemps… depuis leur virée dans le
ghetto, dénoncée par un auxiliaire de la Guilde
ou un Reg travaillant à l'occasion pour les
AntiRegs… Ou plus avant pour ce qui concer-
nait Ati, depuis sa sortie du sanatorium et son
arrivée à Qodsabad… qui l'avait vu inexplicable-
ment gratifié d'un emploi de sous-fonctionnaire
et d'un logis dans un immeuble vaillant… Il se
souvenait parfaitement que le docteur avait écrit
« À surveiller », doublement souligné, au bas de
sa feuille de sortie. Mais toujours se posait la
vraie question : pourquoi, qui était Ati à leurs
yeux pour mériter une telle surveillance ?

Koa devait quant à lui être sous surveillance
depuis le jour où il avait quitté le giron fami-
lial, son nom faisait de lui une icône, une pièce
de collection. Il était l'enfant du Système et le
Système veille sur les siens. Les anges gardiens
le couvaient d'autant plus chaudement qu'ils
le savaient turbulent et très remonté contre
sa famille qui prospérait sur la réputation du
célèbre *mockbi* Kho.

Tout était évident si on ouvrait les yeux, les
choses s'emboîtaient sans difficulté.

surveilled

Et du coup se posait une question encore plus troublante : comment Toz avait-il su aussi vite ce qui s'était passé aux abords de la Cité de Dieu puisque à cette heure seuls les protagonistes étaient présents, c'est-à-dire Ati et Koa, le petit trafiquant qui les avait dénoncés et la patrouille qui leur avait donné la chasse ? Qui donc l'aurait informé ? Le dénonciateur ou la patrouille ? Et comment, et pourquoi ? Et si les appréhender ou les tuer était le but, pourquoi avoir attendu si longtemps ? Et pourquoi maintenant ?

Le tout en fait se résumait dans cette unique question : *Qui était réellement Toz ?*

Une fois lancée, la machine du doute ne s'arrête pas. En peu de temps, Ati se trouva assailli par mille questions inattendues. Et soudain il ressentit comme un grand froid dans le dos car il prenait conscience de ce que ce questionnement impliquait : il devait prendre des décisions fortes et ne savait lesquelles, ni s'il aurait la force et le courage de les mettre à exécution. Sans Koa, il était perdu, voilà des mois qu'ils mettaient tout en commun, leurs affaires et leurs intelligences, ils réfléchissaient et agissaient ensemble comme des jumeaux indéfectibles. Seul, il était un handicapé lourd, incapable de comprendre et de se mouvoir.

Et subitement le doute fit un nouveau pas, totalement inattendu, montrant par là que rien n'était sacré pour lui, il n'y avait pas de dispense, pas d'exception, mais là ce n'était pas concevable, pas permis, Ati eut envie de vomir, de hurler, de se fracasser la tête contre le mur... La méchante et insidieuse petite voix parlait de... Koa... le frère, l'ami, le compagnon, le complice! Il l'entendait lui murmurer : «Rien ne dit que ce brillant jeune homme n'a pas été missionné pour gagner ton amitié, ce qu'il a magnifiquement réussi...» Mais dans quel but, bon sang? Je ne suis rien, je suis Ati, un pauvre diable qui a un mal de chien à vivre dans ce monde trop parfait pour lui... En quoi mériterais-je que l'État ou je ne sais quoi consacre tant de temps et de moyens pour me surveiller?... Alors, tu ne dis rien?... «Ah, cher Ati, te voilà bien oublieux... Tu le sais pourtant, tu y as longuement songé au sanatorium, là-bas sur le toit du monde... Voilà un temps immémorial que l'esprit de jugement et de révolte a disparu de la terre, il a été éradiqué, ne reste flottant au-dessus des marécages que l'âme pourrie de la soumission et de l'intrigue... Les hommes sont des moutons endormis et doivent le rester, il ne faut pas les déranger... or voilà que dans ce désert brûlé qu'est l'Abistan on découvre une petite racine de liberté qui pousse dans la tête fiévreuse d'un phtisique à bout de force, elle résiste au froid, à la solitude, à la peur abyssale des cimes et en peu de temps invente mille questions impies. Note que c'est cela l'important, la nature exubérante du doute et de son pendant, le questionnement, la remise en cause, ces questions que précisément tu posais autour de toi, de manière allusive ou muette mais parfaitement audible de ceux qui n'avaient jamais posé de questions et dont les oreilles vierges étaient hypersensibles, et toi tu questionnais à la ronde, des mots et des regards interrogateurs que les malades, les infirmiers, les pèlerins, les caravaniers et tous les écouteurs d'appoint ont entendus et rapportés et que le bureau des écoutes a scrupuleusement consignés... sans oublier les V qui fouillaient ton cerveau jour et nuit... On ne l'arrache pas de suite, cette herbe folle, au contraire, on se passionne, on veut savoir ce qu'elle est, d'où elle vient et jusqu'où elle peut aller... Ceux qui ont tué la liberté ne savent pas ce qu'est la liberté, en vérité ils sont moins libres que les gens qu'ils bâillonnent et font disparaître... mais du moins ils ont compris qu'ils ne la comprendraient qu'en te laissant libre de tes mouvements, qu'ils apprendraient en te regardant apprendre toi-même... Te rends-tu compte, l'ami, tu es le cobaye d'une extraordinaire expérience de laboratoire : la grande tyrannie apprend de toi, petit bonhomme insignifiant, ce qu'est la liberté !... C'est fou !... On te tuera à la fin, bien sûr, la liberté est un chemin de mort dans leur monde, elle heurte, elle dérange, elle est sacrilège. Même pour ceux qui ont le pouvoir absolu, il est impossible de revenir en arrière, ils sont prisonniers du Système et des mythes qu'ils ont inventés pour dominer le monde, ils ont fait d'eux les gardiens jaloux du

232

dogme et des servants empressés de la machine totalitaire.

« Le plus extraordinaire dans l'affaire est qu'un jour, quelque part au cœur de l'Appareil, quelqu'un, un haut placé forcément, en lisant un rapport pris au hasard dans la multitude de rapports insignifiants que la machine reçoit en continu et archive à la tonne, à toutes fins utiles, a pu se dire : "Tiens, tiens... Voilà qui est inhabituel !" En étudiant le commentaire rédigé par un scribouillard vivant dans la poussière et l'ennui et en diligentant une petite enquête express, il est arrivé à une conclusion qui l'a sidéré, il a découvert un électron libre, chose impensable dans le cosmos de l'Abistan : "Cet homme est un fou d'un genre nouveau ou un mutant, il est porteur d'un esprit de la dispute depuis longtemps disparu, il faut voir ça de près." Comme il n'est pas interdit de se vouloir du bien et d'être jaloux de ses trouvailles, il a pu se mettre en tête l'idée de donner son nom à une maladie nouvelle de l'âme et d'occuper quelques lignes dans les livres d'Histoire de l'Abistan. Il aurait pu penser à quelque chose comme "l'hérésie d'Ati" ou "la déviation du Sîn", puisque c'est cela que l'Appareil craint par-dessus tout, l'hérésie et la déviation.

« Ce mutant rebelle guetté par la folie et possible porteur d'un mal nouveau, c'est toi, cher Ati, et je suis prêt à parier que ton dossier est monté très haut dans la hiérarchie de l'Appareil, et pourquoi pas de la Juste Fraternité. À ces niveaux on ne manque pas d'intelligence, ils en ont même de trop, elle est seulement assoupie, ils n'ont jamais ressassé que de l'ancien, du rance et du poussiéreux, voilà du nouveau qui va les réveiller, les exciter, le signe auquel la découverte d'un village révolutionnaire, susceptible d'anéantir les vérités fondatrices de l'Abistan, a bientôt donné une signification toute spéciale. Ta rencontre avec Nas elle-même était si improbable... Quelles chances un homme insignifiant comme toi avait-il de croiser un éminent archéologue comme lui et de recevoir de lui des confidences aussi dangereuses? Il serait encore plus étrange qu'elle n'ait été que fortuite, cela voudrait dire qu'elle était inscrite dans la dynamique profonde de la vie qui veut que le semblable aille au semblable et le contraire au contraire; un jour ou l'autre la petite goutte d'eau rejoint la mer et le grain de poussière va à la poussière; dit autrement, c'était la rencontre explosive de la Liberté et de la Vérité. Cette occurrence ne s'était jamais produite depuis qu'Abi a parfait le monde par le principe de la soumission et de l'adoration. Ce que la Juste Fraternité a toujours craint sans pouvoir le nommer était là, au stade embryonnaire, porté par un malade reclus dans le lieu le plus isolé de l'Abistan et un fonctionnaire trop avisé pour ce qu'il avait à faire. »

Mais penser une chose n'est pas y croire. Ati se moquait de cela, c'étaient des idées de malade, des hypothèses gratuites, des élucubrations tirées par les cheveux, trop improbables pour être seulement possibles. La dictature n'a nul besoin d'apprendre, elle sait naturellement tout ce qu'elle doit savoir et n'a guère besoin de motif pour sévir, elle frappe au hasard, c'est là qu'est sa force, qui maximise la terreur qu'elle inspire et le respect qu'elle recueille. C'est toujours après coup que les dictatures instruisent leurs procès, quand le condamné par avance avoue son crime et se montre reconnaissant envers son exécuteur. En l'occurrence, on ne chercherait guère loin : Ati et Koa seraient déclarés *makoufs*, des mécréants affiliés à la secte honnie de Balis. Qui va au stade est un coupable car le peuple sait que Dieu n'a jamais accablé un innocent, Yölah est juste et fort.

Il était tard. Der, l'agent de Toz, n'était pas venu. Ati avala ce qu'il restait du repas de la veille et se mit sous sa couverture. Il n'avait pas la foi des croyants mais il pria de toutes ses forces le Dieu des victimes, s'il existait, pour qu'il sauve son cher frère Koa.

La journée s'écoula dans l'ennui et la tristesse. Encore une. Ati se passait et se repassait le film des événements de l'avant-veille, y trouvant chaque fois un petit grain à moudre. Cela n'apportait rien mais que faire, il fallait occuper ses pensées, Koa lui manquait atrocement et un mauvais pressentiment lui barbouillait le cœur.

Der arriva au moment de la septième prière. Les *mockbas* du quartier donnaient de la voix et du cor pour rassembler les croyants. Pas question de traîner, cette prière avait un sens, elle marquait la fin du jour et le début de la nuit; tout un symbole.

Der n'était guère bavard. Avant lui, Mou ne l'était pas plus. À peine entré, il s'appliqua à ramasser tout ce qui pouvait donner à voir que quelqu'un avait résidé dans l'entrepôt. Il effaçait les traces comme après un coup monté. Il remplit un plein sac d'indices, le noua fermement, le jeta sur son épaule et là, après un dernier regard, demanda à Ati de le suivre, l'air de rien, en se tenant quinze à vingt *siccas* derrière lui.

Ils marchèrent d'un bon pas, longtemps, évitant les parages des *mockbas*, constamment encombrés de gens oiseux, très motivés pour appeler le passant à rejoindre leurs belles conversations. En chemin il balança le sac dans un de ces amoncellements d'ordures qui meublaient la ville dans les endroits les moins indiqués. Arrivés sur la route carrossable, Der et Ati s'abritèrent sous une porte cochère et attendirent en silence. Des chats miaulaient à gauche et des chiens aboyaient à droite. Là-haut la lune brillait sans beaucoup de conviction, on voyait sans voir. Des maisons s'exhalaient des odeurs de *hir* et de galette chaude qui embaumaient les rues. Heureuses gens.

Une heure plus tard, deux phares trouèrent la nuit à l'horizon. En approchant, le véhicule fit des appels de phares auxquels Der répondit par de grands gestes des bras en se mettant au milieu de la chaussée. Le véhicule pila devant lui. Silencieuse, spacieuse, majestueuse, c'était une automobile officielle de couleur verte, avec des porte-fanions sur les ailes avant arborant les armoiries d'un Honorable. Impérieuse, aussi : qui aurait osé simplement se mettre sur son chemin ? Le chauffeur ouvrit la portière et demanda à Ati de prendre place. Quel honneur, quel incompréhensible honneur ! La mission de Der était terminée, il tourna les talons et partit dans la nuit sans dire un mot. La voiture démarra dans un beau chuintement et prit de la vitesse. C'était la première fois de sa vie qu'Ati montait dans une voiture et celle-ci était de la meilleure écurie. Il se sourit de fierté, dans son insondable malheur il accédait au bonheur plus que parfait des grands privilégiés, celui de rouler carrosse, mais très vite il s'exhorta au calme et à l'humilité. Ne possédaient de telles merveilles que les officiels au plus haut niveau de la hiérarchie et les commerçants immensément riches dont les accointances avec la synarchie étaient probantes. Personne n'avait jamais su d'où venaient ces engins de rêve, qui les fabriquait, qui les vendait, c'était un secret inviolé. Faute de savoir, on disait qu'ils provenaient d'un autre monde, il y aurait une filière, on parlait encore de frontières invisibles. Le chant du moteur était si doux, les sièges si confortables, la cabine sentait si bon et les cahots de la route étaient si bien balancés qu'Ati fut rapidement pris de somnolence. Il résista autant qu'il put mais guère longtemps, il sombra dans un sommeil bienheureux malgré l'inquiétude qui le tenaillait. Où l'emmenait-on, quelle fin l'attendait au bout ? Toz était aussi cachottier qu'étrange.

Quand il se réveilla, un peu surpris de se voir voler en état d'apesanteur, la voiture roulait toujours, telle une flèche d'amour elle fendait l'air avec grâce et volupté. Au jugé, il semblait qu'elle ait parcouru une centaine de *chabirs*.

Au loin, il vit des lumières, un geyser qui atteignait les nuages et les enflammait, une vraie débauche, chose rare à Qodsabad. L'électricité était rationnée et si chère que seuls les grands responsables et les riches marchands y avaient accès, les premiers ne la payaient pas et les seconds la faisaient payer par les clients. L'air était humide et avait une odeur collante, mélange de sel et de quelque chose d'autre de frais. Du fond de la nuit montait le bruit d'une masse d'eau qui se fracassait sur des murs ou des rochers. Était-ce la mer, existait-elle réellement, arrivait-elle jusque-là, était-il vrai qu'on pouvait l'approcher sans être emporté ni englouti? La route n'allait pas plus loin. L'auto passa un gigantesque portique, gardé par une armée entière, et entra dans un vaste parc avec des arbres majestueux, des bosquets romantiques, des massifs de fleurs charmants, des tonnelles rêveuses, des pelouses et des étangs à perte de vue. Le long du chemin, de magnifiques poteaux d'éclairage régulièrement espacés jetaient une lumière douce sur les ombres. Les roues de l'auto crissaient sur du gravillon (de jour, il verrait qu'il était rose). La maison, éclairée par de puissants projecteurs habilement disposés, était gigantesque, elle courait d'un bout à l'autre de l'horizon. En fait elle comportait une bâtisse centrale, un palais royal tout en symétrie et harmonie, et de part et d'autre, à bonne distance cependant, des dépendances en nombre, des grandes et des petites, des hautes et des basses, des rondes et des carrées. Parmi elles, une magnifique *mockba*, parée de marbre vert et de stuc finement ouvragé. Partout, dans le parc, sur les terrasses et les toits ou juchés sur des miradors, se tenaient des gardes puissamment armés, des civils vêtus du *burni* des clercs recouvert d'une cotte de mailles et des militaires bardés d'armures. Des maîtres-chiens faisaient patrouiller des molosses effrayants, de race inconnue, moitié dogues moitié lions. Au loin sur une butte clôturée de barbelés était planté un pylône haut d'une trentaine de *siccas* supportant une impressionnante quincaillerie, des sortes de tambours, des paraboles orientées dans les quatre directions et une énorme structure métallique qui tournait sur elle-même.

Plus loin, il y avait ce qu'Ati, comme dix Abistani sur dix, avait toujours rêvé voir de près : des engins volants. Devant un immense hangar, sagement alignés, étaient stationnés des avions (un grand, des moyens et des petits) et autant d'hélicoptères de tailles et de formes diverses. Il n'en avait jamais vu que très loin dans le ciel, des points qui passaient en vrombissant, et comme beaucoup il avait fini par ne plus savoir que penser. Engins, oiseaux, magie, hologrammes ? Amis, ennemis ? Ce qu'on voit est-il toujours vrai et comment fallait-il entendre ces bruits inconnus ? Il y avait un autre hangar plus modeste, et un impressionnant parc automobile soigneusement disposé, des voiturettes, des berlines, des camions, des engins spéciaux. D'où venait ce matériel, de quel monde, par quelle filière ?

Ati n'avait pas assez d'yeux pour tout voir. Le domaine était immense et la voiture roulait vite, elle savait clairement où se diriger. Elle s'arrêta loin du centre, dans une zone pavillonnaire qui comptait deux ou trois douzaines de maisons plus belles les unes que les autres, entourées d'arbres artistiquement taillés. Le chauffeur l'invita à descendre et à le suivre à l'intérieur d'un bungalow tout blanc, qui portait le numéro 15. Il comptait un vestibule donnant sur une grande pièce centrale, une cuisine, une salle de bains et trois chambres desservies par un couloir discret, le tout luxueusement équipé et rempli de ces meubles, tableaux et bibelots que Toz collectionnait avec amour et nostalgie. Ati n'imaginait pas que pareils logis pussent exister ni qu'on pût y habiter et s'y sentir bien. Rien de tel n'avait cours à Qodsabad, les gens y auraient été mal à l'aise, malheureux peut-être, ils aimaient sentir la terre sous leurs pieds et avoir la vue dégagée ; et surtout ils aimaient être ensemble dans la même pièce pour partager le pain et la *hir*, économiser la chaleur, prier et papoter d'une seule voix.

Le chauffeur informa Ati qu'il logerait dans ce pavillon jusqu'à nouvel ordre. Dans la cuisine se tenaient au garde-à-vous deux hommes habillés de *burnis* blancs, de coupe droite. On pouvait les distinguer sans difficulté, l'un était noir, costaud, avait le nez épaté et s'appelait Ank, l'autre était petit, pâlichon avec des yeux bridés et répondait au nom de Cro. Le chauffeur, qui était blanc, élégant, intelligent et s'appelait Hek, les présenta négligemment comme des serviteurs. Il y en avait deux ou trois dans chaque pavillon, dit-il, ils étaient à la disposition des invités de Sa Seigneurie. Ank et Cro acquiescèrent en saluant Ati de la tête. «Qui est Sa Seigneurie?» demanda-t-il timidement. Réponse infatuée du chauffeur: «Sa Seigneurie est SA Seigneurie sérénissime… l'Honorable Bri!»

Après avoir grignoté un morceau, Ati se mit au lit et passa le plus clair de la nuit à se débattre avec ses pensées et ses peurs. Il se sentait pris au piège, il envisageait le pire. La fatigue l'avait terrassé au moment où le soleil commençait à se hisser au-dessus de l'horizon. Et presque aussitôt il fut réveillé par le cor de la *mockba*, l'appel de la première prière. Ati en était encore à chercher ses esprits lorsque Ank vint lui dire qu'un jeune clerc l'attendait à l'entrée pour le conduire à la *mockba*. Ce qu'ils firent. Celle-ci était pleine de monde. Chacun sa place: les dignitaires aux premiers rangs, suivis des hauts responsables administratifs et ainsi de suite jusqu'au dernier secrétaire; les serviteurs et les hommes de peine accomplissaient leurs prières sur leurs lieux de travail et les gardes dans leurs casernes. Ils avaient à cœur de ne pas y manquer, la surveillance ne s'arrêtait jamais et la sanction était la même pour tous, cent coups de bâton dans les reins, et plus en cas de récidive. Ati fut placé dans l'aile des invités. La prière de l'aube était importante, on s'y pressait, elle marquait la fin de la nuit et le début du jour, tout un symbole.

Plus tard il saurait que Sa Seigneurie sérénissime avait sa propre *mockba*, en son palais, attenante à la salle du trône. Le *mockbi* en était le chambellan de Sa Seigneurie et c'étaient ses adjoints qui assuraient les fonctions de bedeau, crieur, répétiteur, incantateur, chantre, psalmodieur. Le Jeudi saint, quand elle n'était pas fatiguée, Sa Seigneurie se rendait à la *mockba* du camp et conduisait elle-même la prière. C'était un honneur insigne pour la population du fief. Personne ne manquait à l'appel. Quand arrivait son tour de diriger la grande Imploration du Jeudi à la Grande Mockba de Qodsabad, familièrement appelée la Mockba Kho, elle s'y rendait en grand cortège, avec une sécurité impressionnante, laissant son territoire dans un état de désespérance extrême. Mais son retour dans l'après-midi était une fête d'autant plus inouïe. Quand Sa Seigneurie s'absentait pour plusieurs jours, pour notamment rejoindre la *Kiïba* où plusieurs étages abritaient son cabinet officiel, sa cour et ses multiples services, le camp se mettait en hibernation et jour et nuit pleurait l'absence du maître.

La prière achevée, le clerc conduisit Ati dans une immense bâtisse, voisine de la maison royale. « C'est le siège du gouvernement du fief que dirige Viz, Son Excellence le Grand Chambellan de Sa Seigneurie... Tu es attendu par Ram, son directeur de cabinet et conseiller très écouté. » Dans « écouté », le jeune clerc, Bio de son nom, avait mis un accent grave qui n'était pas le ton adéquat mais peut-être sous-entendait-il par là que Ram était plus qu'écouté de son chef, il n'aurait qu'à parler pour être entendu. Ils entrèrent par une porte de service, traversèrent un long couloir souterrain et émergèrent dans un dédale d'escaliers, de couloirs et de bureaux où des clercs étrangement ressemblants s'affairaient religieusement, lequel ouvrait au bout sur un vaste, luxueux et très silencieux corridor, menant au cabinet du Chambellan. Ati, dont le sens de l'observation s'était aiguisé dans l'expérience du danger, remarqua que la signalétique dans ce lieu était libellée dans une langue inconnue, finement ciselée, toute pleine de fioritures et d'ornements délicats, très différente de l'*abilang*, qui à sa naissance artificielle se voulait une langue militaire, conçue pour inculquer la rigidité, la concision, l'obéissance et l'amour de la mort. Réellement, que de choses étaient bizarres dans les hauteurs de l'Abistan. Qu'en était-il alors chez Sa Seigneurie sérénissime et tout là-haut chez le Grand Commandeur ? Il n'était même pas question de penser à Abi le Délégué, chez lui tout était mystères et prodiges incomparables.

Ati fut introduit dans une pièce sommairement meublée, un fauteuil, une chaise, une table basse. Mission accomplie pour Bio, il se retira sur la pointe d'un sourire.

Autant prendre ses aises. Ati s'assit dans le fauteuil et allongea ses jambes. L'attente fut longue. Il s'était fait à cette torture, elle lui avait été abondamment infligée ces derniers temps. Au sanatorium, il avait atteint l'Himalaya de la patience. Il avait appris à attendre, il entrait dans ses pensées et s'employait à les déchiffrer, il en découlait maux de tête et peur au ventre.

La torture prit fin, un homme entra dans la pièce, petit, délicat, l'air affable, âge indéfinissable, autour de la petite trentaine. Il portait un *burni* noir, ce qui n'était pas commun. Ati se leva d'un geste. L'homme se planta devant lui, mains sur les hanches, l'air se voulant taquin, le fixa longuement dans les yeux, et brusquement lui dit en souriant : « C'est donc toi, Ati !... », et il ajouta en se tapotant la poitrine : « Moi, c'est Ram ! » Il y avait autre chose au fond de l'œil, caché par les belles manières, de la froideur, de la cruauté peut-être, ou simplement le vide qui donne au regard ce miroitement inquiétant.

« Bon, assieds-toi et écoute-moi sans m'interrompre ! » ordonna-t-il en poussant la chaise vers le fauteuil ; il s'y assit, écarta les jambes et, coudes sur les genoux, se pencha vers Ati comme pour lui faire des confidences graves.

« Pour commencer, et je te le dis sans prendre de gants, tes amis Nas et Koa sont morts, c'est triste mais c'est ainsi. C'est pour qu'ils ne soient pas morts pour rien que je viens te demander

245

de t'associer à notre démarche… Je t'expliquerai plus tard, je dois d'abord t'apprendre plusieurs choses et te laisser les méditer. Nas s'est suicidé, c'est la conclusion officielle, la découverte de Mab l'a semble-t-il profondément bouleversé. Nous avons caché sa mort pour ne pas inquiéter ses collègues de travail, l'Abigouv a besoin de sérénité pour accomplir sa difficile mission. C'était une erreur, les gens ont imaginé les pires choses. Pourquoi s'est-il suicidé, nous ne le savons pas au juste. Il a laissé une lettre à son épouse mais elle n'est pas explicite, il lui dit seulement qu'un doute le taraudait quant à sa foi et qu'il ne pouvait pas vivre dans l'incertitude et le faux-semblant. Il était un homme d'une grande probité, il a réagi comme tel. Un jour il a disparu, laissant sa famille, ses voisins et ses collègues dans l'inquiétude. Des recherches ont été lancées, en vain. Son épouse Sri et sa sœur Eto ont été très courageuses, elles ont bataillé pour savoir mais le drame étant très vite devenu une affaire d'État au plus haut niveau, celui de la Juste Fraternité, le secret s'en est mêlé. Que s'est-il passé dans sa tête, on ne le saura jamais, un jour, subitement, il est retourné dans "son" village, on ne sait pourquoi, réfléchir, vérifier des choses, compléter ses recherches, faire disparaître des pièces, c'est là en tout cas, dans une des maisons, que son corps a été trouvé par les ouvriers venus aménager le site pour recevoir les premiers pèlerins… Il s'était pendu… on a trouvé sur lui la lettre destinée à sa femme.

« Dans le rapport très documenté qu'il avait adressé à son ministre, au retour de son enquête sur le site, il avait émis l'hypothèse que Mab n'était pas un village abistanais mais qu'il se rattachait à une civilisation antérieure bien supérieure à la nôtre, gouvernée par des principes totalement opposés à ceux qui fondent le *Gkabul*, la Sainte Soumission. Mais, pis, il aurait trouvé des indices donnant à penser que le *Gkabul*, notre *Gkabul*, existait en ce temps, donc avant la naissance d'Abi, notre Abi, le Délégué, ce qui ne se peut, et était déjà dénoncé par tous comme une forme gravement dégénérée d'une brillante religion d'alors que l'Histoire et les vicissitudes avaient cependant mise sur une mauvaise pente, qui a révélé et amplifié ce que cette religion pouvait contenir de potentiellement dangereux. Il semble que cette civilisation a été à ce point mise à mal par le *Gkabul* qu'elle en est morte. La planète n'était plus que désordre et violence et le triomphe du *Gkabul* n'a pas pour autant amené la paix sur terre. Si un seul mot de ce rapport dit vrai alors c'est la mort de l'Abistan, la fin du monde, cela voudrait dire que nous sommes les héritiers et les continuateurs de ce monde de folie et d'ignorance. Il montrait par là que son esprit s'était gravement brouillé, il avait inversé l'ordre des choses, ce n'est pas la révélation d'Abi qui est douteuse mais les croyances passées que l'enseignement d'Abi est venu réfuter... L'affaire étant capitale, le Grand Commandeur a naturellement transmis copies du rapport à tous les Honorables pour recueillir leurs avis… Cela a provoqué une belle tempête dans la Kiïba. On voulait raser ce maudit village, fermer le ministère des Archives, des Livres sacrés et des Mémoires saintes, disperser son personnel, arrêter tous ceux qui avaient pu avoir connaissance de cette histoire… et tu étais en tête de liste, étant celui qui avait passé le plus de temps avec Nas alors qu'il revenait de son enquête, la tête pleine d'idées bizarres et sans doute du désir de se confier à quelqu'un. C'est l'intervention personnelle d'Abi qui a éteint le feu, il s'est souvenu avoir habité ce village et que c'était là qu'il avait reçu la révélation du *Gkabul* et de l'*abilang*. La polémique était jugulée mais pas les conflits d'intérêts.

« Conformément aux règles de notre sainte religion, la dépouille de Nas a été incinérée et ses cendres dispersées dans la mer… Doutant de notre foi et s'étant suicidé, il ne pouvait être enterré dans la terre d'Abistan sanctifiée par le *Gkabul* et le sang de millions de martyrs. Après nous être assurés qu'elles n'avaient pas été contaminées par les doutes de leur mari et frère, nous avons donné en mariage son épouse Sri et sa sœur Eto à de bons et honnêtes croyants, un fonctionnaire de l'Abigouv et un commerçant. Je dis "nous" parce que la décision a été prise par le Grand Commandeur au nom de la Juste Fraternité. Aujourd'hui que le chagrin est passé, elles mènent une vie saine et heureuse. On verra ce qu'on peut faire, tu pourrais les rencontrer si tu le désires, si elles-mêmes et leurs maris sont d'accord ; ils le seront certainement puisque tu étais l'ami de Nas... Eto vit dans la casbah de la Cité de Dieu et Sri dans le H46, un quartier tranquille attenant au A19. »

Il marqua une pause pour laisser à Ati le temps de se reprendre avant de lui asséner la suite.

« Ça va ? lui dit-il en lui tapotant l'épaule.

— Mmm...

— Je continue, donc... Quant à Koa, c'est triste à dire, il est mort de la façon la plus moche... Dans sa fuite, il est tombé dans un fossé et s'est embroché sur un pieu qui lui a déchiré le flanc... Il s'est vidé de son sang dans une sorte de tanière où il était allé se cacher... Des enfants ont trouvé son cadavre deux jours plus tard. Les chiens, cette plaie de Qodsabad, étaient en train de le dévorer. En reconnaissance des mérites du Grand *Mockbi* Kho, ami cher de Sa Seigneurie, nous lui avons donné une sépulture ici, dans le fief. Tu pourras te recueillir sur sa tombe.

« Toz nous a informés de votre présence dans le A19 dès que vous êtes entrés en contact avec lui. C'est un membre distingué de notre clan. Il est un peu original, il préfère vivre dans la crasse du A19 plutôt qu'ici parmi ses pairs et ses amis. L'enquête se poursuit mais il semble que nous ne sommes pas les seuls à nous être intéressés au sort de Nas et au vôtre, Koa et toi. Plusieurs Honorables craignaient pour leur position ou voulaient tirer profit de cette affaire. L'Honorable Dia, qui s'est vu octroyer une concession héréditaire sur le pèlerinage de Mab, ne pouvait admettre le moindre doute sur la sainteté de l'un quelconque des lieux de pèlerinage, encore moins celui-ci où était née la Révélation. Il en tire des revenus colossaux, si énormes que cela menace les équilibres au sein de la Juste Fraternité, son arrogance n'a plus de limite. Il a réussi à obtenir du Commandeur Duc et d'Abi lui-même que les copies du rapport Nas soient retirées du circuit et détruites par le feu. Sur sa demande une Abi Jirga en tenue blanche fermée a été organisée. Tu ne sais pas ce que c'est, c'est une réunion solennelle de tous les Honorables, y compris le Grand Commandeur, chez Abi lui-même, durant laquelle chacun jure devant lui sur le saint *Gkabul* son absolue soumission, en l'occurrence avoir pleinement, totalement et fidèlement exécuté l'ordre de détruire le rapport et d'en effacer toute trace, ce qui comme tu t'en doutes a eu des conséquences fâcheuses pour ceux qui ont pu l'approcher. Je pense que c'est une perte et une erreur, taire, cacher, supprimer n'est jamais une solution. Je suppose que Nas a compris qu'il se passait des choses au sommet et qu'il risquait gros, à son désarroi s'est ajoutée la peur. Peut-être Dia a-t-il fait pression sur son ministre, qui est mort lui aussi dans des circonstances disons étranges, et sur Nas pour revenir sur ses conclusions.

« Voilà pour Dia, mais il n'est pas le seul à

conspirer. Certains de nos grands Honorables, et notamment le terrible et très ambitieux Hoc, directeur du Protocole, des Cérémonies et des Commémorations, ne sont pas mécontents de voir Sa Seigneurie Bri, Honorable chargé des Grâces et des Canonisations, et par ailleurs tête de liste dans l'ordre de succession du Grand Commandeur dont la santé fragile décline de jour en jour, égratignée par cette histoire survenue dans son fief, qui plus est au A19 où se trouve la Cité de Dieu, dont il est, par ce fait, le gouverneur et le préfet de police. Notre enquête, menée par nos meilleurs limiers et espions, montre qu'il y a eu conspiration, celui qui vous a dénoncés à de prétendus chaouchs travaille pour une organisation liée à ce chien de Dia, mais aussi à Hoc et à son fils Kil. Nous l'avons fait enlever par une de nos organisations les plus secrètes, cela pour ne pas, le cas échéant, éclabousser Sa Seigneurie. Habilement questionné, il a tout avoué. Nous avons remonté la filière et multiplié les sonnettes pour nous alerter de tout ce qui se trame contre notre clan. Nous le gardons sous la main dans un lieu secret, nous nous employons à le retourner et nous préparons lentement et patiemment une riposte dont l'Honorable Dia et ses amis se souviendront longtemps.

« Mais bon, ce sont là des problèmes internes à la Juste Fraternité, que tu n'as pas à connaître.

« Tu es le dernier survivant, tes amis sont morts, je comprends ta peine et la terrible solitude dans laquelle tu te trouves. Il faut nous aider à détruire nos ennemis comme nous t'avons aidé à leur échapper, et à préparer l'avenir radieux que l'Abistan connaîtra lorsque, et le plus tôt serait le mieux, Sa Seigneurie sera le Grand Commandeur de la Juste Fraternité avec l'aide de Yölah et d'Abi, le salut sur eux. Avec Sa Seigneurie, le saint *Gkabul* sera réellement la seule vraie lumière du monde, nous ne permettrons à personne d'y attenter par des fariboles et des rêveries. Ainsi soit-il.

— Et comment pourrais-je vous aider?... Je ne suis rien... un pauvre fugitif à la merci du premier assassin venu... Si vous me mettez dehors, je ne saurais pas où aller... Je n'ai même plus de chez-moi. »

Ram prit un air à la fois mystérieux, supérieur et amical.

« Nous te le dirons en temps et lieu. Va te recueillir sur la tombe de ton ami Koa, va voir Sri et Eto pour leur présenter tes condoléances (nous organiserons la chose), promène-toi dans le parc et va voir la mer, elle est à cinq *chabirs*, deux si tu passes par le parc. Repose-toi et mets ton esprit au calme, ici tu es en sécurité, dans un rayon de trois cents *chabirs* tu es dans notre fief, un oiseau ne peut y pénétrer sans mon autorisation. Bio, le jeune clerc qui t'a conduit ici, t'accompagnera partout où c'est permis... demande-lui ce que tu veux, il saura faire. À bientôt ! »

Arrivé à la porte, il se retourna :

« Ce qui s'est dit dans cette pièce n'a jamais été dit... Toi et moi ne survivrions pas une journée si un seul mot de notre conversation sortait seulement dans le couloir. Ne l'oublie pas. Yölah te garde ! »

LIVRE 4

*Dans lequel Ati découvre qu'une conspira-
tion peut en cacher une autre et que la vérité
comme le mensonge n'existent que pour autant
que nous y croyions. Il découvre aussi que le
savoir des uns ne compense pas l'ignorance des
autres, et que l'humanité se règle toujours sur
le plus ignorant d'entre les siens. Sous le règne
du* Gkabul, *le Grand Œuvre est achevé :
l'ignorance domine le monde, elle est arrivée
au stade où elle sait tout, peut tout, veut tout.*

Ati se fit un programme sur le coin de la table de la cuisine sous le regard attentif d'Ank et Cro. Il comprenait pas moins de six points : 1) Se recueillir sur la tombe de Koa ; 2) monter dans un avion et un hélicoptère ; 3) visiter le palais de Sa Seigneurie ; 4) voir la mer et y tremper au moins un doigt ; 5) rencontrer Sri et Eto et leur dire combien il avait aimé et admiré Nas ; 6) avoir un entretien sérieux avec Toz, et lui demander au passage pourquoi il avait éclaté de rire lorsque, en remerciement de ses services et de son hospitalité, Koa lui avait offert la lettre de félicitations qu'Abi avait adressée à son grand-père, le *mockbi* Kho de la Grande Mockba de Qodsabad.

Bio revint le lendemain avec un programme révisé à la baisse par Ram. Il expliquait que l'aéroport et le palais étaient des sites ultrasensibles : on ne s'en approche pas, il ne faut simplement pas y songer, dans le coin on tire à vue si on passe un doigt à travers le grillage d'enceinte.

Pas de soucis pour le reste. L'organisation de la rencontre avec Sri et Eto prendrait cependant quelque temps, le problème était compliqué car si on demandait aux maris l'autorisation de visiter leurs épouses, ils se braqueraient et se retourneraient contre elles, et leur demander à elles, qui ne sortaient jamais de la demeure de leur seigneur et maître, les mettrait en danger, elles devraient le leur dire et expliquer comment et pourquoi un inconnu qui se prétendait l'ami du défunt mari et frère voulait les voir afin de leur présenter des condoléances alors que le deuil était passé depuis longtemps et que la veuve et la sœur avaient convolé en justes noces. Mais pas de souci, Ram avait un plan des plus innocents. Pas davantage de soucis avec ce cachottier de Toz, il venait au camp tous les jeudis déjeuner avec sa famille, son frère aîné qui n'était autre que Bri, Sa Seigneurie sérénissime, son frère jumeau qui n'était autre que Viz, le Grand Chambellan, et son neveu qui n'était autre que Ram, fils de Dro, un frère décédé mystérieusement, il y avait longtemps, dans un des pires épisodes de la guerre des clans. Les morts se comptèrent par millions à travers l'Abistan mais personne n'en avait gardé le souvenir et l'Histoire n'a rien consigné. La paix était revenue un jour et la paix a ceci d'inévitable qu'elle efface les mémoires et remet les compteurs à zéro.

Ils se dirigèrent donc vers le cimetière, qui était lui-même une zone sensible car s'y trouvaient, bien délimités et gardés, le carré des martyrs, celui des hauts responsables et celui, placé sur une butte fleurie, de la famille régnante où Sa Seigneurie venait se recueillir une fois le mois. La partie populaire était libre d'accès. Le cimetière était parfaitement entretenu, ce qui était un bon signe quant aux valeurs en vigueur dans le fief, mais à dire vrai tout était parfait dans le camp, c'était réellement l'image qu'Ati avait du paradis. N'y manquaient que deux ou trois choses, côté loisirs, frivolités et autres bienveillances, interdites dans cette vie par le saint *Gkabul* mais dûment explicitées et promises par lui dans l'autre vie.

La tombe de Koa se trouvait dans un lopin un peu à l'écart, on y enterrait les morts étrangers au clan. La tombe était tout humble, selon la tradition funéraire dans cette région de l'Abistan, un tumulus de terre sur lequel était fichée une pierre plate portant le nom du défunt, ici « KOA ».

Ati était ému... et dubitatif, il se demandait qui réellement habitait cette sépulture, un nom n'est pas une identité et une tombe n'est pas une preuve. Le récit de Ram avait de tels accents de vérité et de simplicité qu'on restait sur sa faim. Où était la réalité dans tout ça ? Que le rapport Nas ait provoqué des remous au sein de la Juste Fraternité, cela s'entendait, l'hypothèse d'une civilisation brillante ayant devancé la perfection éternelle de l'Abistan ne s'avalait pas facilement, les croyants se pensent volontiers les meilleurs. Et puis, soit, il y avait les intérêts, les animosités, les ambitions, les vices, bref tout ce qui faisait de l'homme un être sommaire et indigne, mais quand même, le brillant Ram savait trop de choses et détenait trop de pouvoir pour être l'ange salvateur qu'il voulait paraître. En fait il avait tout du parfait conspirateur qui savait enchaîner les intrigues et savamment les intriquer pour faire d'une pierre plusieurs coups sans bouger de son bureau. Son ambition en l'occurrence, si Ati avait bien compris, était titanesque, il espérait tout à la fois abattre Dia, réduire Hoc, ruiner son fils Kil, accabler le vieux patriarche Duc de soucis vénéneux pour l'achever et accélérer la succession au profit de l'oncle Bri, et un jour prochain de lui-même, puis, sans prendre le temps de se reposer, éradiquer tout ce qui constituait une menace, même lointaine et marginale, pour l'ordre parfait du *Gkabul*. S'il était des ambitieux d'exception qui possédaient en plus le carré d'as de ce jeu sans fin de l'intrigue et de la mort : le savoir, le pouvoir, l'intelligence et la folie, Ram en était, et sans doute le meilleur.

Ati s'ébroua pour chasser de son esprit ces pensées circonstancielles puis se mit à genoux, frotta ses mains par terre pour les couvrir de poussière et les croisa sur sa tête humblement baissée comme on le faisait au cours de la grande Imploration du Jeudi saint et se mit à murmurer :

« Qui que tu sois dans cette tombe, ô mort, je te salue et te souhaite tout ce que l'Au-delà peut offrir de meilleur aux hommes de bonne volonté. Si tu n'es pas Koa, comme je le crois, pardonne-moi de t'ennuyer avec mes paroles... mais je dois me confesser et soulager ma peine, alors permets au malheureux que je suis de s'adresser à toi comme si tu étais lui... Si comme nous le croyons les défunts sont unis dans l'Au-delà, tu voudras bien s'il te plaît lui transmettre mon message.

« Cher Koa, tu me manques, c'est atroce comme je souffre. Je me pose bien des questions à ton sujet, j'ai du mal à croire que tu es mort d'une chute dans un fossé comme le prétend ce bonimenteur de Ram, ce n'est pas ton genre, tu étais aussi agile de corps que d'esprit... et le courage ne t'a jamais manqué, même grièvement blessé tu aurais trouvé en toi la force de rejoindre l'entrepôt et là j'aurais tout fait pour te sauver... Plus facilement tu aurais frappé à la première maison venue et demandé de l'aide... Les gens ne te l'auraient pas refusée, tout n'est pas mort en eux sous le ciel de l'Abistan... Tant que les hommes font des enfants, s'abritent sous des toits et allument des feux pour se réchauffer, c'est que la vie est en eux et donc l'instinct de la préserver... Je m'en veux terriblement, cher Koa, c'est moi qui dans notre fuite ai eu l'idée de nous séparer, croyant qu'ainsi nous doublerions nos chances de nous en sortir, or je les ai divisées par deux et je t'ai laissé la mauvaise part, j'aurais dû partir à gauche et te laisser la droite... De ce côté il n'y avait aucun obstacle à part quelques chiens qui venaient me renifler les mollets... En arrivant à l'entrepôt, ne t'y voyant pas, j'aurais dû aussitôt repartir à ta recherche... Et qu'ai-je fait... misère de moi... je me suis enroulé dans la couverture et j'ai dormi... J'ai honte, Koa, j'ai honte, je suis un lâche... Je t'ai abandonné, mon frère, et à cause de cela tu es mort dans une tanière de chien ou assassiné par des tueurs professionnels... Je ne cherche pas à minimiser ma faute mais je ne sais pourquoi je garde au fond de moi l'espoir que tu es vivant quelque part, prisonnier peut-être, un espoir sans illusion maintenant que je sais un peu ce que sont les Honorables qui gouvernent ce pauvre monde... J'ai appris que Nas, que j'aurais tant voulu te présenter, serait mort lui aussi... Il se serait suicidé dans ce village mystérieux qui n'avait rien à faire sur notre terre sacrée de l'Abistan... Je n'y crois pas une seconde, Nas était un savant, une tête froide qui voulait apprendre et savoir, et ne se laissait pas aller aux rêves et aux illusions... Il a été assassiné par ceux que sa découverte dérangeait... et il savait que les choses se passeraient ainsi, il me l'avait dit un soir autour du feu. Quant à moi, je suis comme une âme en peine, morte et errante... À quelque chose malheur est bon... là où je suis, à la merci du clan de l'Honorable Bri, j'ai une petite possibilité d'en apprendre un peu sur ta mort et celle de Nas... Ils veulent m'utiliser dans je ne sais quel plan, ils devront forcément éclairer ma lanterne… Ils le feront sans trop de retenue sachant quelle fin m'attend… mais qu'importe mon sort, ce monde me désole trop, je n'ai aucune attache et n'en veut à aucun prix… Je vais te rejoindre bientôt, cher Koa, et alors nous continuerons dans l'Au-delà, en toute impunité j'espère, nos aventures et notre impossible quête de vérité. Je t'embrasse et te dis à bientôt." »

Ati se prosterna quatre fois selon la coutume, s'épousseta pour restituer symboliquement la poussière à la poussière et rejoignit Bio qui l'attendait à l'écart, allongé sous un arbre, mâchouillant béatement la queue d'une pâquerette.

« Merci, cher Bio, de m'avoir attendu si patiemment… Partons maintenant, retournons dans le monde des vivants dont on est sûr qu'ils sont vivants, j'ai dit à mon ami Koa ce que j'avais à lui dire, il va bien le méditer. Puisque notre chef Ram en est d'accord, tu vas me conduire à la mer… J'ai toujours pensé que cette chose existait sans pouvoir me la représenter… C'est difficile, crois-moi, quand autour de soi on n'a jamais vu que sable, poussière et fontaines poussives. Je me demande comment vous faites dans votre vaste fief, l'eau fraîche coule jour et nuit, vous la gaspillez comme si elle tombait du ciel et ne coûtait rien.

— C'est facile, répondit Bio avec un gros sourire malin, nous avons détourné la rivière, elle ne coule que pour nous, et nous avons des citernes géantes où nous stockons l'eau, l'essence et plein d'autres choses. Ici la vie ne peut jamais s'arrêter, il ne lui manque rien.

— Voilà qui me rassure, cher Bio! Allons de ce pas à la mer, et pressons-nous, on ne sait jamais, elle pourrait ne pas nous attendre! »

Ils prirent par le camp, le chemin était plus court. Une trotte de deux *chabirs* sur une pelouse fleurie, à l'ombre des bois, n'avait absolument rien de terrifiant.

La mer commençait à l'horizon, on aurait dit que c'était dans le ciel qu'elle prenait sa source et que de là elle descendait vers la terre. Ce fut le premier constat que se fit Ati, et à mesure qu'il avançait vers elle, ce qui était une ligne d'horizon aérienne, indistincte et tremblante se matérialisait, s'étendait, devenait masse d'eau colossale et vibrante qui occupait tout l'espace, le débordait et venait sur lui telle une marée montante pour s'arrêter *in extremis* à ses pieds; il se sentait cerné. Impossible d'échapper à la fascination et à la terreur, la mer était la somme de tous les contraires, il ne fallait que quelques secondes pour s'en convaincre et l'on sentait alors très fort qu'elle pouvait en un instant basculer du tout au tout, du meilleur au pire, du plus beau au plus sinistre, de la vie à la mort.

En ce jour, pour la première visite d'Ati, la mer était aimable, comme le ciel qui la couvrait et comme le vent qui jouait avec ses vaguelettes. Un bon signe.

Il s'avança courageusement vers elle, jusqu'au bord où elle disparaissait dans le sable. Encore un pas et le contact miraculeux se fit. Sous la pression de son poids, l'eau et le sable exsudaient entre ses orteils, les massant d'une façon plus que sensuelle.

Mais qu'était-ce là, tout bougeait, tout tanguait, il sentait le sol glisser sous ses pieds et sa tête partir en vrille pendant qu'une petite nausée lui retournait l'estomac, mais en même temps un merveilleux sentiment de plénitude se diffusait en lui. Il était en harmonie avec la mer, le ciel et la terre, que demander de plus ?

Il s'allongea sur le sable chaud, ferma les yeux, offrit son visage aux rayons du soleil et son corps aux embruns de la mer et se laissa aller au rêve.

Il se souvint de l'extraordinaire chaîne de l'Ouâ, de ses cimes, de ses gouffres vertigineux et des cauchemars qu'ils avaient éveillés en lui, de la terreur à l'état pur mais aussi un sentiment d'exaltation inspiré par l'incroyable majesté de ces lieux si durs, sortis du plus loin du temps. C'était là qu'un sentiment bouleversant de liberté et de force, inconnu jusqu'alors, était né en lui et peu à peu, alors que la maladie le soumettait à la torture et décimait ses voisins, l'avait amené à la révolte ouverte contre le monde si oppressant et si lâche de l'Abistan.

La mer aurait sans doute produit d'autres

prises de conscience, d'autres révoltes. Qui sait lesquelles.

« Mon cher Bio, nous allons rentrer, j'ai pris de l'air et du sel parfumé aux algues vertes pour une année, si la vie veut bien me laisser ce répit. Je me sens enflé de partout et cuit à point. J'ai connu l'immense terreur des montagnes, je connais maintenant l'envoûtement de la mer et l'ardeur du soleil sur une peau salée, je suis un homme comblé. Tout cela m'a donné faim et sommeil. J'ai hâte de passer à l'étape suivante de mon programme, rencontrer deux femmes que je ne connais pas mais que j'ai aimées depuis le jour où le mari de l'une, qui est le frère de l'autre, m'a parlé d'elles. J'aurais voulu les prendre avec moi, les chérir et les protéger toujours mais la Juste Fraternité, dans son infini respect pour la vie, les a données à des inconnus, l'un est un honnête fonctionnaire prisonnier de la casbah et l'autre un commerçant non moins scrupuleux, prisonnier de sa boutique, puisqu'ils ont été choisis par ceux qui savent tout de la probité et de l'amour.

« Allons, marchons, cher Bio, et parle-moi un peu de toi, tu as une vie, je suppose, une famille, des amis, des ennemis peut-être, et des rêves sûrement, de ceux qui sont permis. J'aimerais savoir ce qu'un sujet de Sa Seigneurie pense au jour le jour.

— Penser de quoi ?

— N'importe, une chose ou l'autre… de… de

266

ton travail par exemple… En quoi consiste-t-il, es-tu heureux, que vas-tu raconter à Ram à propos de notre belle journée d'aujourd'hui, etc.? »

Ils passèrent l'après-midi à se raconter leur vie. Comparée à celle d'Ati qui d'un bout à l'autre du vaste et mystérieux Abistan courait après les ennuis et entraînait ses amis à la mort, celle de Bio était vaporeuse, elle n'avait ni largeur, ni longueur, ni épaisseur, rien pour la saisir, on aurait dit qu'il était né pour rien et qu'il n'y avait aucune malice là-dessous. Il en riait aux éclats en récitant le slogan du fief : « Adore Yölah. Respecte le *Gkabul*. Honore Abi. Sers Ta Seigneurie. Aide ton frère. Et belle sera ta vie. »

Ram en avait décidé ainsi, la rencontre d'Ati avec Sri et Eto se ferait de la manière la plus secrète possible, personne ne devait jamais pouvoir soupçonner que le clan de l'Honorable Bri avait été pour quelque chose dans son organisation. Le plan ourdi par lui ne vaudrait rien, pis, il se retournerait contre le clan. La deuxième raison était qu'Ati était recherché par toutes les polices publiques et privées de l'Abistan, il ne ferait pas deux pas à l'air libre qu'il serait appréhendé par l'une ou abattu par l'autre. Le fait d'avoir bourlingué dans tout le pays depuis les très lointaines montagnes de l'Ouâ, trafiqué avec le ghetto, traversé illégalement trente quartiers de Qodsabad pour tenter de s'introduire dans la Cité de Dieu, et sa capacité à disparaître ici pour reparaître là avaient considérablement ajouté à son image de monstre pervers. Il était l'ennemi public numéro un et toutes les polices le voulaient pour trophée, sans savoir pourquoi, ou savaient seulement un bout de l'histoire, mais qu'importe, l'ordre leur avait bien été donné.

Les peuples, comme les prisonniers dans un camp, sont d'une extrême sensibilité, la moindre petite rumeur les bouleverse. Qu'ils entendent dire que la *hir* va manquer ou coûter un *didi* de plus et voilà le pays en flammes, on annonce la fin du monde et l'on n'hésite pas à reprocher à Yölah d'avoir abandonné ses enfants.

Dans le A19 et à l'intérieur de la Cité de Dieu, le climat était déjà plus que malsain, rumeur et contre-rumeur faisaient la course. Espions, propagandistes et pêcheurs en eaux troubles mettaient la pression, le peuple n'en pouvait mais, il se demandait ce qui se passait. Le Grand Commandeur, le vénérable Duc, ne disait rien, on ne le voyait plus dans les *nadirs*. Était-il vivant, était-il mort ? Que faisait la Juste Fraternité ? Et où était-il, ce gouvernement ? Dans une société emmurée, l'air est vicié, on s'empoisonne avec ses propres miasmes. L'Ennemi et Balis étaient convoqués dans toutes les conversations, on ne savait plus à la fin qui était l'un et qui était l'autre. La colère était lâchée, violente, débridée, insatiable, les agents de Ram, minutieux, bien réglés, travaillaient merveilleusement, injectant le poison aux bons moments, aux bons endroits, à la bonne dose, c'en était impressionnant, la bête réagissait exactement comme dans les tests en laboratoire. On pensait à d'autres malfaisants, des Honorables et des ministres, ils étaient dans tous les sous-entendus, on ne ratait pas Dia ni Hoc, leur réputation parlait pour eux, ni ces misérables Nam, Zuk et Gou qui pillaient le peuple et trichaient honteusement sur le poids et la composition de sa *hir* quotidienne, encore moins ce vaniteux de Toc, ni ces fous furieux du H3, les Hu Hux Hank, les Honorables Partisans de la Guerre Totale qui ne parlaient que de batailles, de bataillons et de bombardements, Zir et Mos en particulier qui renforçaient sans fin leurs milices, multipliaient les camps d'entraînement et ne se refusaient aucune provocation, convaincus que toujours gagnait à la guerre celui qui la provoquait. Zir avait écrit un mémoire psychédélique sur la guerre-éclair et rêvait d'en réaliser une à grande échelle, sa rage de dents c'était le ghetto de Qodsabad, l'idée que les Regs existaient l'empêchait de vivre, il avait un plan pour anéantir tout ça en trois jours, un jour pour saisir sa population dans l'effroi, un jour pour tout casser, un jour pour achever les blessés et remballer, alors que Mos, dans une autre brillante dissertation, défendait l'idée que seule la guerre permanente et totale, sans trêve, ni répit, ni retenue, était conforme à l'esprit du *Gkabul*, l'état de paix n'étant pas digne d'un peuple porteur d'une foi aussi puissante. Il n'était point nécessaire d'avoir un motif pour frapper. Yölah a-t-il besoin de justification pour faire et défaire? Quand il tue, il tue, et il a la main lourde, c'est définitif et particulièrement cruel, et à la fin il n'épargne personne. Abi le disait dans son Livre (titre 8, chapitre 42, versets 210 et 211) : « *Gardez-vous de fermer l'œil et de vous assoupir, c'est cela qu'attend l'Ennemi. Faites-lui une guerre totale, n'épargnez ni vos forces ni celles de vos enfants, qu'il ne connaisse jamais le repos ni la joie, ni l'espoir de rentrer vivant chez lui.* » Il disait aussi ceci qui confortait Mos dans son appétit de guerre : « *Si vous pensez que vous n'avez pas d'ennemi, c'est que l'ennemi vous a écrasé et réduit à l'état d'esclave heureux de son joug. Vous feriez mieux de vous chercher des ennemis que de vous laisser aller à vous croire en paix avec vos voisins* » (titre 8, chapitre 42, versets 223 et 224).

Tout cela était ennuyeux et du plus habituel mais, pour qui avait l'oreille exercée et l'œil vif, il y avait du neuf dans ce concert de ronrons et de contre-ronrons. Et pour du neuf, c'était du neuf. On sortait des sentiers battus, on passait au gigantesque, à l'inimaginable, à l'impossible. Bravo, Ram, plus c'est gros mieux ça frappe. Pour la première fois, on parlait d'un être mythique sorti d'on ne sait quel monde, qui ne serait ni un dieu comme Yölah ni un contre-dieu comme Balis, mais un être solaire déroutant, tout de lumière et de raison, d'intelligence et de sagesse, qui enseignerait une chose inconnue au pays de la Sainte Soumission : la révolution dans l'harmonie et la liberté. Elle réfutait la brutalité hégémoniste de Yölah et la sournoiserie délétère de Balis et leur opposait la force de la bienveillance et de l'amitié. Qu'est-ce que tout cela voulait dire et qui le disait? Un nom avait circulé de foule en foule mais il avait été mal entendu : Démoc... Dimouc... Dmoc.

On parlait aussi d'un homme, un Abistanais des plus humbles qui cheminait parmi les plus humbles, qui serait en quelque sorte le héraut de l'être solaire; il annonçait le Retour. « Le retour, quel retour? » questionnait la rue. Le retour du temps jadis, quand d'autres dieux régnaient sur terre et que d'autres hommes la peuplaient. La vie était pénible certes, les dieux et les hommes sont difficiles à vivre et ne font pas la paire, mais rien, jamais rien durant tous ces millénaires de souffrance et d'ennui n'avait réussi à détruire l'espoir, et l'espoir était ce qui avait permis aux dieux et aux hommes de résister à leur propre négation et de réussir parfois à accomplir de belles choses, un miracle par-ci, une révolution par-là, un exploit ailleurs, qui au bout du compte avaient fait que la vie continuait de valoir la peine d'être vécue. En ce temps on disait « l'espoir fait vivre » lorsqu'on désespérait gravement. Le Retour serait donc le retour de l'espoir? Disons, le retour de l'idée que l'espoir existe et qu'il pourrait éventuellement nous aider à vivre, nous ne sommes que des hommes, de simples mortels, il ne faut point trop demander à la vie. Il se disait que le messager avait pour nom Ita l'Abistanais et que déjà il avait un premier apôtre, son nom était Oka le rebelle. Dans un monde né de la religion, tout messager est un prophète, tout accompagnateur est un apôtre qui revient de loin; qui s'interroge et discutaille est un hérétique.

L'infatigable Ram était à son affaire dans ce merveilleux tohu-bohu. C'était son monde, et son rêve, son plan, était de le contrôler de bout en bout. Les pièces du puzzle étaient depuis longtemps positionnées pour l'attaque finale, mais il manquait le petit mécanisme d'échappement qui permettrait de déclencher les opérations et de gagner à coup sûr. La rencontre d'Ati avec Sri et Eto allait le lui offrir. Si le grain de sable peut bloquer la plus perfectionnée des machines, le retirer permet de la relancer de la plus belle des façons. C'était le principe de la méthode Ram, ajouter ce qui coince, enlever ce qui bloque, et ainsi le plan va de l'avant.

Son cabinet y travaillait avec diligence et précision depuis le jour où Ati et Koa étaient arrivés au A19. Ce que Ram savait de ces deux phénomènes ambulants, c'était rien : quelques considérations vaseuses émanant du soi-disant tout-puissant ministère de la Santé morale et de ses sous-comités à la noix, quelques alertes fournies par l'une des cent et des mille prétendues infaillibles cellules d'observation civique de l'Appareil – un ramassis de bureaucrates obscurs qui à force de tout ficher produisaient un brouhaha intraduisible –, quelques sous-entendus tirés des tonnes de notes à la sauce pieuse que cette invraisemblable Inspection générale des *mockbas*, la police du rite, enregistrait sur l'état de la piété des croyants, auxquels s'ajoutaient deux ou trois indices dénichés dans le déluge de notes émanant d'on ne savait quels sous-bureaux spécialisés dans rien, etc. Mais chaque clan avait ses propres instruments, bien concentrés sur le sujet, les seuls utiles. Le clan de Bri était bien pourvu de ce côté et Ram veillait personnellement au parfait fonctionnement de la machinerie. Pas de hasard, pas de grain de sable. Contrairement aux autres clans qui investissaient leurs colossales fortunes dans la force brutale et l'apparat, le clan Bri investissait la sienne dans l'analyse et la prospective, dans l'organisation et l'efficacité, dans le travail en laboratoire et le test en réel. Et donc, très tôt, il avait compris l'intérêt de suivre ces deux hurluberlus si pleins d'entrain et de les pousser dans la bonne direction. Ils serviraient bien à quelque chose. C'est ainsi qu'ils avaient abouti chez Toz, orientés par un passant pas si anonyme que ça, puisqu'il avait dit s'appeler Hou, et par le *mockbi* Rog qui à bien voir ressemblait plus à un aiguilleur d'émigrés clandestins qu'à un saint exerçant un honnête sacerdoce. Ils étaient attendus et la suite de leur parcours était déjà écrite en forme de destin voulu par Dieu.

Fin de la première étape. Sacré Toz, il les avait superbement embobinés, il les avait emprisonnés dans un entrepôt sous couvert de les aider à fuir, et ils l'avaient cru et applaudi. Très fort.

L'intéressant était que les deux farfelus n'appartenaient à aucun clan, professaient tout

le contraire de la Pensée unique, et de surcroît
étaient volontaires, audacieux, naïfs comme de
grands enfants. Ils avaient de plus un atout
essentiel chacun : l'un avait connu Nas et
entendu parler de l'existence du mystérieux
village, l'autre était le petit-fils d'un personnage immense qui avait marqué l'Histoire
et l'imaginaire de l'Abistan, le *mockbi* Kho.
Ils apporteraient au plan un fond de terreur mystico-religieuse qui impressionnerait
le peuple et les juges. Avec de tels acteurs, le
cabinet pouvait monter une pièce d'horlogerie
capable de donner à chacun l'heure exacte de
sa mort.

Le miniplan permettant d'organiser la rencontre devant témoins choisis entre Ati et Sri,
sans retombée collatérale pour le clan Bri, néces-
sitait l'intervention d'une tierce personne, un
personnage particulier devant satisfaire maintes
délicates conditions : il devait être connu comme
étant secrètement lié aux clans Dia et Hoc, il
devait n'avoir jamais eu le moindre contact avec
le clan Bri, il devait connaître Nas, Ati et Koa,
du moins les avoir approchés et en savoir assez
sur eux, et il devait enfin être un comédien de
talent. Cet homme, cet oiseau rare, Ram l'avait
sous la main, c'était le marchand de services de
la place de la Foi suprême, l'espion qui avait
dénoncé Ati et Koa aux chaouchs de Dia, leur
employeur commun. Ses spécialistes de la manipulation mentale avaient fini de le retourner et
le préparaient activement à sa première mission,

la mère de toutes les missions s'il en était, au service du clan Bri. Pour les besoins du scénario, il s'appellerait Tar, un nom si courant qu'il sentait le faux nez, et serait un commerçant prospère et ambitieux dont les bureaux et les entrepôts étaient installés au H46. Il aurait une épouse, on la nommerait Nef, Ore, Cha… ou, mieux, Mia, ça faisait femme de tête, cruelle et manipulatrice.

Le plan, écrit jusqu'à l'ultime virgule, consiste à mettre en relation d'affaires le commerçant Tar et le commerçant Buk. Ce dernier, spécialisé dans la fabrication de bassines et de vaisselle de cuisine collective en fer-blanc, est le mari de Sri. Le jour J, Tar se présentera à lui pour lui proposer d'acheter sa production des dix prochaines années, moyennant un prix d'ami, lui-même ayant contracté sur cette durée avec une société appartenant en association à Dia et à Kil dont l'objet est la vente et la location de cantines et de matériel de cuisine ambulante aux organisations de pèlerinages et de jamborees (toutes opèrent sous le pavillon de Dia, ou celui d'un clan allié chargé du Battage, dont le célèbre slogan commercial est, si on s'en souvient, « Ni trop peu ni pas assez »), et aussi aux bataillons de l'armée, aux milices des clans et des chefs locaux. Ébahi par cette proposition tombée comme une alouette rôtie dans son assiette, Buk aura sûrement à cœur d'inviter Tar pour fêter leur alliance et en peu de temps ils deviendront certainement des amis inséparables comme les hommes d'affaires savent l'être quand ils sont un peu pressés. Tar forcera le jeu si nécessaire et multipliera les occasions de se fréquenter. Ils s'inviteront en famille, entre amis, se feront des cadeaux. Eto et son mari seront conviés et viendront s'ils parviennent à obtenir une permission de sortie de la Cité de Dieu. Mia ne sera que douceur et prévenance pour Sri et Eto. Au plus haut de leurs relations d'affaires et de famille, Tar leur présentera un sien cousin, Nor (c'est le rôle dévolu à Ati), venu affectueusement et professionnellement le visiter ; il expliquera que son parent est un commerçant heureux lié au groupe Kil et occasionnellement au groupe Dia. Dans un aparté favorisé par Mia, Nor apprendra à Sri qu'il était un ami de Nas, qu'il a connu lorsqu'il travaillait sur le site du mystérieux village découvert par les pèlerins, et que celui-ci est venu un jour lui confier un rapport en le priant de le lui garder jusqu'à nouvel ordre – mais il n'est jamais revenu. Depuis qu'il a appris son étrange disparition, Nor se demandait sans cesse ce qu'il devait faire de ce document et voilà que le hasard vient lui apprendre par la bouche de Tar que l'épouse de son ami et commensal Buk est la veuve de Nas. Quelle étrange et merveilleuse coïncidence ! Et là aura lieu ce pour quoi le plan a été si finement brodé : Nor remettra le rapport à Sri en lui recommandant de n'en parler à personne, selon le vœu de Nas, sauf éventuellement à sa belle-sœur Eto. Il n'oubliera pas la promesse qu'il s'était faite : lui dire combien il avait admiré Nas, un homme de bien duquel il a appris cette belle disposition d'esprit qui commande de dire le vrai quoi qu'il en coûte sinon il passerait pour faux, et de dénoncer le faux quels que soient les risques sinon il passerait pour vrai. Mais il ne lui dira pas qu'il l'avait trouvée belle et charmante, on ne fait pas cela dans la maison du mari.

Fin de la représentation et fin de mission pour Ati, elle durera deux heures, le temps d'un dîner chez Buk, dont deux minutes d'un aparté avec Sri pour lui remettre ledit rapport dissimulé dans un cadeau rare, une *sila*, une pièce de soierie du Haut-Abistan.

Ati ne saura pas que le film avait une suite des plus ténébreuses et une fin en forme de guerre mondiale. Le dîner achevé, le rapport remis et les salutations échangées, il sera exfiltré du H46 et ramené au camp de Sa Seigneurie.

Dans le deuxième épisode, dans une atmosphère de mystère épais, une voix se fera entendre, d'une gorge profonde qui toute tremblante de sainte colère révélera au monde l'inimaginable infamie commise par deux grands seigneurs de l'Abistan, choyés par Abi et le Grand Commandeur. Elle apportera la preuve que les serpents Dia et Hoc étaient la tête d'un incroyable complot contre la Juste Fraternité et, immense et terrible blasphème, contre Abi et Yölah eux-mêmes. Ces misérables ont trahi l'Abi Jirga et gardé par-devers eux copie du rapport

Nas puis, mus par leur noir dessein, ont fait enlever le pauvre archéologue, dont ils ont travesti le rapport en y fourrant des conclusions de leur cru, et l'ont tué dans le village où Abi a reçu la sainte Révélation. Ils ont ensuite assassiné Koa, le digne rejeton du *mockbi* Kho. La Voix ne s'arrêtera pas aux faits, elle en révélera les tenants et les aboutissants : Dia et Hoc œuvraient à rien moins qu'à la destruction de l'Abistan de la manière la plus effroyable, en mettant en doute la vérité du *Gkabul*. C'est la preuve absolue qu'ils étaient au service de l'Ennemi et de Balis.

Rien ne pourra sauver Dia et Hoc et aucun des leurs n'échappera à la mort. Ils seront conduits par centaines dans les stades et par milliers dans les camps les plus sinistres, les camps d'extermination des Regs, qui seront soulagés de voir qu'ils ne sont pas les plus haïs du monde et peut-être heureux de les avoir comme compagnons de charrettes pour le dernier voyage. Le Grand Commandeur Duc sera appelé à se faire dignement *akiri* sur la place de la Foi suprême ou ermite dans le plus inhospitalier des déserts pour expier la faute d'avoir si mal défendu la Juste Fraternité et laissé deux serpents souiller la Kiïba et salir le *Gkabul*.

La Voix ajoutera en soupirant que Sa Seigneurie Bri n'aurait jamais permis cela, elle sait que la vérité est la vérité et que l'ordre qui la soutient ne doit jamais faiblir, pas le temps d'un clin d'œil, sinon il n'est plus l'ordre et ne le sera jamais, il est le désordre et l'essence du mensonge.

Dans la réalité, à quelques détails près, les choses se sont passées telles que le scénario les avait prévues. À peine Ati était-il rentré au camp qu'une lettre envoyée d'une poste anonyme est partie informer les autorités, dont certaines avaient été sensibilisées par d'éminentes et discrètes personnalités actionnées par Ram, que le rapport Nas circulait dans le pays comme un poison traîtreusement inoculé dans le sang du peuple, et que derrière ce crime se tenaient les Honorables Dia et Hoc, et d'autres encore en position de complices. Une deuxième lettre expédiée d'une autre introuvable poste a fourni aux enquêteurs les éléments, pourtant bien visibles, qu'ils avaient été incapables de voir par eux-mêmes, elle leur apprenait que le rapport avait été remis à Sri par Nor, un complice de Tar, et que celui-ci l'avait reçu d'un homme de Dia se disant commissionné par Nas peu avant sa disparition. Elle révélait que le plan de Dia et de Hoc était de s'emparer du pouvoir et de se proclamer Commandeur et Vice-Commandeur. Elle ajoutait avec une pointe de mépris que ces idiots utiles n'étaient en vérité que des pions dans un plan apocalyptique conçu et animé par l'Ennemi et Balis, qui au final projetaient de remplacer Abi par Démoc, la Juste Fraternité par une assemblée de représentants, et sur la durée de faire des Abistani, les adorateurs sincères de Yölah, de vulgaires balisiens, des hérétiques, des hommes libres.

Le cabinet de Ram avait répété mille fois le scénario et procédé sur le terrain à tous les arrangements nécessaires. Tar était déjà à demeure et en ce moment négociait avec Buk l'achat de plusieurs milliers de braseros, de marmites, de bassines et autres gros ustensiles. La liste de ceux qui devaient disparaître était établie et les exécutants positionnés pour passer à l'action; l'un d'eux (Mia?) était chargé d'aider Tar à se suicider à bout portant, le jour même de la remise du rapport à Sri; le premier maillon devait disparaître en premier pour que le dernier soit préservé. C'était le début de la fin, les clans entreraient bientôt dans une longue et impitoyable guerre.

Dans l'affaire, Sri se trouverait fatalement en danger. Ati, qui s'accusait d'avoir laissé mourir son frère Koa, ne pourrait cependant jamais s'accuser de lui avoir causé du tort. En le chargeant de lui remettre le rapport Nas, Ram lui avait promis que cela lui ferait plaisir de recevoir ce testament de son défunt époux. Il fallait aussi agir de cette manière discrète et cavalière pour ne pas indisposer le mari, c'était logique. Ati ne serait plus là lorsqu'on viendrait interroger le couple et enclencher une vaste opération d'arrestations à travers l'Abistan, à tous les niveaux, du plus grand seigneur au plus humble serviteur.

Jamais au cours de l'histoire humaine, sinon peut-être dans une ancienne vie, il n'y eut aussi grandiose rafle en si peu de temps. Avec la vitesse acquise, la machine arriverait tôt à la phase industrielle, arrêter et exterminer tant de gens n'est plus affaire de simple police, la question de la logistique s'imposerait d'elle-même et déciderait de tout.

Ati ne saurait jamais que le film où il avait fait une petite apparition aurait une suite et une fin aussi colossale. La naïveté, comme la bêtise, est un état permanent. Ati ne s'était à aucun moment posé ces questions, évidentes même pour un enfant, il croyait que le stratagème imaginé par Ram n'avait que ce but, lui permettre de rencontrer Sri sans choquer le mari pour lui présenter ses condoléances, et au passage lui remettre le rapport Nas, comme le voulait Ram. Comment ce rapport s'était-il trouvé en possession de Ram ? L'Honorable et digne Bri avait-il conservé par-devers lui une copie et menti à l'Abi Jirga ? Pourquoi alors se séparer d'un document qu'on avait longtemps dissimulé et dont Ram disait qu'il pouvait révolutionner le monde ? Le document remis à Sri était-il le rapport authentique ? Quelles conclusions offrait-il au lecteur ? Pourquoi l'avait-on choisi, lui, pour le lui remettre ? Qui était vraiment ce Tar qui l'avait conduit chez Buk et qui se comportait à table comme s'il était son cousin ? Il avait par ailleurs un petit air de déjà-vu qui rendait plus que légitime la question. Il semblait bien que derrière son beau *burni* de commerçant prospère se cachait un misérable vaurien.

L'explication était peut-être là : la mort de Koa et de Nas avait détruit ses défenses, leur mort annonçait la sienne ; et le mariage de Sri et d'Eto avait tué en lui le secret espoir qu'il avait de consacrer sa vie et ses forces à défendre la veuve et l'orphelin.

Ank et Cro étaient tout fiers de servir une célébrité. À son retour du H46, Ati fut longuement reçu par Ram qui lui transmit les félicitations du Grand Chambellan et les encouragements de Sa Seigneurie. En acceptant de remettre le rapport de Nas à sa veuve, sans que le clan y soit directement mêlé, Ati avait bien mérité de celui-ci. « Nous étions très embêtés avec cette histoire, avoua Ram, elle nous mettait mal vis-à-vis de l'Abi Jirga et de la Juste Fraternité. Sa Seigneurie n'en savait rien, et le Grand Chambellan pas plus, ils ne s'occupent pas des questions subalternes, ce lot est pour moi, mais nous avions effectivement reçu deux rapports, l'officiel que nous avons restitué à l'appel du Grand Commandeur et un autre, envoyé par on ne sait qui, un fonctionnaire distrait ou un ami discret qui nous voulait du bien, et dont nous ne savions que faire... Comment expliquer sa présence chez nous ?... Qu'auraient pensé nos amis de la Juste Fraternité, qui nous faisaient tellement confiance?... Nous pouvions le détruire mais était-ce convenable, c'est une pièce rare, un rapport d'enquête archéologique sur un site unique, un élément du patrimoine d'autant plus précieux qu'il était le dernier et unique exemplaire, les autres ayant été brûlés en présence d'Abi, du Grand Commandeur et des Honorables au complet... De là est née l'idée toute naturelle de le remettre à sa veuve, ce sera un testament, un souvenir pour elle et sa descendance... Enfin tout est bien qui finit bien, nous avons l'esprit tranquille. »

Ram avait l'art de tout rendre simple et clair et cette affaire de deuxième rapport tombé du ciel en parachute et reparti par la petite porte avait effectivement besoin d'un peu de lumière.

L'étiquette étant ce qu'elle était, Ati ne pouvait en tant qu'étranger au clan et homme d'extraction modeste, ne possédant ni fief, ni fortune, ni haute fonction, être reçu à si haut niveau de dignité. Sa Seigneurie et le Grand Chambellan étaient désolés. Il n'y avait là rien de méprisant, la bienséance a ses règles, d'ailleurs Ati ne cherchait pas les honneurs, mais il aurait aimé approcher ces personnages de théâtre, les voir dominer le monde, admirer leurs beaux palais qu'il imaginait surchargés de lourdes et luxueuses fioritures ; peut-être étaient-ils au contraire débordants de magnifique et exubérante simplicité.

Ils philosophèrent un bon moment, les temps

étaient durs et bien des rumeurs couraient qui affligeaient le peuple, il n'en sortirait rien d'heureux. Ils en convinrent. Il y avait en effet dans l'air, plus rance et plus âpre que jamais, cette atmosphère de fin de monde qui collait à l'Abistan depuis sa naissance. Tous deux étaient d'accord pour dire que les dérèglements n'étaient pas superficiels, ils tenaient à la nature profonde des choses, mais parlaient-ils des mêmes choses? Avec une vraie énergie dans le ton tournée vers l'avenir, Ram laissa entendre que le pays serait bientôt débarrassé de ses vieux malheurs et transformé de fond en comble, l'Abistan nouveau aurait besoin d'hommes nouveaux et dans ce cadre Ati pourrait s'il le désirait se faire une place enviable au sein du clan, il avait ce sens profond de la liberté et de la dignité qui fait les grands serviteurs de l'État. Ati resta silencieux. Il hochait la tête et se mordillait la lèvre pour s'aider à réfléchir. Que voulait-il au fond, qu'espérait-il? Il interrogea son cœur et sa tête... mais rien ne venait... quelques échos de l'enfance, évidemment irréalisables... Il leva les bras au ciel... Il ne trouvait rien, ne voulait rien... À vrai dire il aurait plutôt voulu rendre ce qu'il avait pu recevoir de l'Abistan mais quoi, il n'avait ni travail, ni chez-soi, ni identité, ni passé, ni avenir, ni religion, ni coutumes... vraiment rien... sauf des ennuis venant de l'administration et des menaces de mort venant des clans... Il se contenterait éventuellement d'un rab de temps qu'il consacrerait à respirer l'air

libre du ciel et à humer les odeurs aphrodi-
siaques de la mer. Il se sentait capable de l'aimer, celle-là, avec une vraie passion malgré ses
caprices et ses trahisons. Ram était bien opti-
miste de penser que l'Abistan changerait. Les
poules auraient des dents avant et sauraient
chanter en *abilang*. En vérité rien ni personne ne
pouvait le changer, l'Abistan était dans la main
de Yölah et Yölah est l'immuabilité même. « *Ce
qui est écrit est écrit* », était-il écrit dans le Livre
d'Abi, son Délégué.

Ram le pria d'y réfléchir. « Je te verrai plus
tard, j'ai beaucoup à faire, le changement ne
va pas tarder à entrer en action », lui dit-il en
se levant, et d'ajouter en lui donnant une tape
dans le dos : « Il vaut mieux ne pas se risquer
hors du camp... Tu es chez toi ici. » Il plaisan-
tait mais son œil brillait d'un éclat intensément
dur et dans sa voix il y avait comme un chant de
guerre.

Ce matin-là, Ank et Cro étaient venus tous les
deux dans sa chambre lui dire que Bio était à
la porte, porteur d'une nouvelle extraordinaire :
« Son Excellence Toz vous fait l'honneur de vous
inviter à visiter son musée », dirent-ils en chœur.

« Musée ?... Qu'est-ce que c'est ? »

Ces pauvres diables ne savaient pas... comme
Ati qui entendait le mot pour la première fois.
Ce n'était pas de l'*abilang* puisque selon une
récente promulgation du haut-commissariat

à l'*abilang* et à l'abilanguisation, que présidait l'Honorable Ara, linguiste éminent et féroce adversaire du multilinguisme source de relativisme et d'impiété, les noms communs provenant d'une langue ancienne encore en usage devaient porter, selon le cas en préfixe ou en suffixe, les signes *abi* ou *ab*, *yol* ou *yo*, *Gka* ou *gk*. Tout appartenait à la religion, les êtres et les choses, et les noms aussi, il convenait donc de les marquer. «Musée» était soit une exception, ce que l'édit prévoyait ou tolérait pour un temps encore, soit il était issu de l'une des langues anciennes, prohibées mais ayant cours dans des enclaves ici et là, pour lesquelles il n'existait ni bréviaire ni dictionnaire. Il y avait aussi que dans la vie privée on parlait encore comme on voulait, malgré les risques de dénonciation par les enfants, les domestiques ou les voisins, et le fief était tout ce qu'il y avait de privé et même de souverain.

«Et en quoi est-ce extraordinaire? Toz, je le connais, j'ai pris le café en son logis du A19 et j'ai habité son obscur entrepôt que vous ne connaissez pas puisque vous ne sortez jamais du fief, dit Ati en enfilant son *burni*.

— Mais... mais... il n'a jamais invité personne dans son musée... Une fois seulement, au début, pour son inauguration, ses frères, Sa Seigneurie et le Grand Chambellan, et son neveu maître Ram qui dirige tout, personne d'autre depuis... jamais personne... »

Oui, là ça devenait passionnant.

Bio était encore plus excité, le pauvre grouillot pensait pouvoir se fondre dans l'ombre d'Ati
et entrer avec lui dans le musée, et voir enfin
ce qui s'y trafiquait depuis tant d'années. Dans
le camp, on avait toujours vu des camions aller
et venir au musée, livrant des caisses, empor-
tant des emballages, amenant et ramenant des
ouvriers embauchés dans de lointaines villes qui,
le temps de leur besogne, s'affairaient à l'intérieur du bâtiment sans mettre le nez dehors.

Il y avait vraiment de l'envie dans l'air. En
traversant le domaine, Ati voyait que les gens
étaient tout pleins de gentille curiosité, leur
regard disait : « Quelle chance as-tu, ô étranger, tu vas voir ce que nous ne verrons jamais…
Pourquoi toi et pas nous qui sommes du clan ?… »

Bio et Ati avaient marché d'un bon pas, une
heure pleine qui leur avait un peu alourdi les
jambes, traversé un vaste lotissement, celui des
techniciens de la centrale électrique et de la sta-
tion hydraulique, informa fièrement Bio, puis
une zone industrielle où les ateliers bruyants
et trépidants ne manquaient pas, longé ensuite
un terrain vague solidement clôturé dans lequel
l'armée de Sa Seigneurie manœuvrait et s'entraînait, pouvant selon le calcul mathématique de
Bio contenir en son aire au moins trois villages,
pour aboutir enfin dans un immense espace
vert au centre duquel s'élevait une magnifique

bâtisse blanche entourée d'une pelouse impec-
cable. Ati l'apprendrait plus tard de Toz
lui-même, elle était la copie au cinquième d'un
antique, prestigieux et gigantesque musée
appelé Louvre ou Loufre, qui avait été saccagé
et rasé lors de la première Grande Guerre sainte
et l'annexion par l'Abistan de la Lig, les Hautes
Régions Unies du Nord. Il saurait que le seul
pays qui avait résisté aux forces de l'Abistan,
parce que gouverné par un dictateur fou nommé
Big Brother qui avait balancé dans la bataille
tout son arsenal nucléaire, était l'Angsoc... ou
l'Ansok, mais au final il était tombé et avait été
noyé dans son propre sang,

Toz était là, moitié assis moitié allongé sur
un drôle de siège, une bâche tirée entre quatre
bouts de bois. Ati l'entendit l'appeler « chaise
longue », tout bêtement. Était-ce une façon
agréable de s'asseoir ? Il faudrait essayer. Toz
souriait, il y avait dans son regard comme une
malice, quelque chose qui voulait dire : « Je vous
ai bien eus, Koa et toi, j'en suis désolé mais,
comme tu vois, l'intention n'était pas mauvaise. » Son regard se voila et une sorte de rictus
amer déforma son visage. Ati comprit qu'il pensait au pauvre Koa et que d'une certaine façon il
s'en voulait de ce qui s'était passé.

Il tapota l'épaule d'Ati et le poussa vers l'entrée du bâtiment. « Bienvenue dans le musée de
la Nostalgie ! » Et d'un geste il refoula l'ombre
de ce pauvre Bio qui se contorsionnait pour glisser un œil dans l'entrebâillement de la lourde

porte. Qu'avait-il pu voir? Rien, un vaste vestibule tout blanc, tout vide. La porte se referma sur son nez.

« Entre, cher Ati, entre… sois le bienvenu… Je t'ai invité dans mon jardin secret pour me faire pardonner de vous avoir abusés… et aussi, je l'avoue, parce que j'ai besoin de toi… Le voyage dans le temps et dans le paradoxe auquel je te convie m'aidera dans ma propre recherche, je suis arrivé à un point où je doute de tout, à commencer par moi. Asseyons-nous un moment… oui, là, par terre… Je voudrais te préparer à ce que tu vas voir… Tu ne sais pas ce qu'est un musée puisqu'il n'en existe pas en Abistan… Notre pays est ainsi, il est né avec l'idée absurde que tout ce qui existait avant l'avènement du *Gkabul* était faux, pernicieux et devait être détruit, effacé, oublié, de même que l'Autre, s'il ne se soumettait pas au *Gkabul*. Le musée est en quelque sorte le refus de cette folie, c'est ma révolte contre elle. Le monde existe avec ou sans le *Gkabul*, le nier ou le détruire ne le supprime pas, au contraire son absence en rend le souvenir plus fort, plus présent, pernicieux à la longue pour le coup car pouvant conduire à idéaliser, à sacraliser ce passé… Mais en même temps, et tu le ressentiras peut-être, un musée est un paradoxe, une supercherie, une illusion aussi pernicieuse.

« Reconstituer un monde disparu est toujours à la fois une façon de l'idéaliser et une façon de le détruire une deuxième fois puisque nous le sortons de son contexte pour le planter dans un autre et ainsi nous le figeons dans l'immobilité et le silence ou nous lui faisons dire et faire ce qu'il n'a peut-être ni dit ni fait. Le visiter dans ces conditions c'est comme regarder le cadavre d'un homme. Tu le regarderas autant que tu voudras, tu t'aideras des photos de cet homme de son vivant, tu liras tout ce qui a pu être écrit sur lui mais jamais tu ne sentiras la vie qu'il y avait en lui et autour de lui. Dans mon musée, il y a beaucoup d'objets d'une certaine époque, le vingtième siècle comme l'appelaient ses contemporains, disposés selon leur fonction et l'usage qui en était fait, tu verras aussi des reproductions de cire bouleversantes de vérité d'hommes et de femmes dans leur quotidien reconstitué dans ses plus fins détails, mais toujours manquera ce quelque chose, ce mouvement, cette respiration, cette chaleur, qui fera que le tableau est et reste une nature morte. Aussi grande soit-elle, l'imagination ne peut donner vie... La chaise longue par exemple sur laquelle j'étais assis ou allongé tout à l'heure et qui t'a surpris. Elle est de son temps, elle est née d'une certaine conception de la vie... Si je te parlais de vacances, de loisirs, de dilettantisme et de supériorité à l'égard de la nature mise au service des hommes, si tu savais ce que c'est et si tu pouvais ressentir toutes ces choses dans leur profondeur d'alors, tu verrais la chaise longue comme elle était réellement, elle n'était pas qu'une toile tirée entre quatre bouts de bois comme tu l'as certainement pensé en la voyant.

« J'aimerais qu'après avoir visité le musée tu me dises, si tu veux bien, ce que tu auras ressenti, ce que les scènes auront pu t'inspirer de réflexions. Cela fait si longtemps que je les regarde qu'une distance s'est créée entre nous, si jamais elle a pu ne pas exister... Parfois j'ai l'impression de visiter un cimetière rencontré sur ma route, je vois des tombes, je lis des noms, mais je ne sais rien sur ces morts, sur les vivants qu'ils étaient, et rien sur le lieu et le temps qu'ils habitaient.

« Il faut que tu te souviennes que tout cela est strictement interdit par notre religion et notre gouvernement, raison pour laquelle j'ai construit le musée ici, dans notre fief, et non au A19 où je vis parmi le peuple... Et voilà aussi pourquoi je travaille dans la brocante, et discrètement dans les antiquités, au grand dam de mes frères Bri et Viz, qui trouvent que je ne tiens pas mon rang, et de mon jeune, intelligent et très ambitieux neveu Ram à qui je donne un surcroît de travail pour assurer ma sécurité et faciliter mes activités économiques, ce que je fais semblant de ne pas voir pour qu'il n'en rajoute pas... Je passe déjà pour le parrain du A19 alors que ce sont ses sbires qui contrôlent tout autour de moi. J'ai trouvé mon contentement dans la brocante et les antiquités, elles m'ont permis d'échapper à l'Abistan et de travailler discrètement à mon projet de mettre le vingtième siècle dans un musée. Allez, commence donc ta visite dans le passé, l'impiété et l'illusion... Je vais t'attendre à l'autre bout, je ne veux pas t'influencer. »

Le musée comprenait une enfilade de salles plus ou moins vastes, consacrées chacune à un des épisodes de la vie humaine que, de tout temps peut-être, les hommes ont identifié comme des mondes en soi, étanches et indépendants les uns des autres, et cela avait conduit Toz à séparer les salles par des portes fermées à clé, dont la clé était dissimulée quelque part dans le fouillis de la salle. Pour passer à la salle suivante, à l'épisode suivant de la vie, il fallait trouver la clé et on ne disposait pas de tout son temps, la vie est mouvement, elle n'attend pas. En créant cette difficulté Toz avait voulu mettre le visiteur (mais qui d'autre que lui-même?) dans l'état naturel de l'homme qui ignore son futur et qui toujours le cherche dans l'urgence et la difficulté.

La première salle racontait l'accouchement, la naissance et la petite enfance. On s'y serait cru, la salle d'accouchement était criante de vérité, on entendait presque les cris de la maman et les premiers pleurs du bébé. Sur des présentoirs, des tables ou à même le sol, on voyait les objets courants de cette phase de la vie, berceau, pot de chambre, poussette, youpala, hochets et jouets... Aux murs, des tableaux et des photos montraient la vie quotidienne, des enfants jouant, mangeant, dormant, se baignant, dessinant sous le regard des parents.

Les salles suivantes étaient consacrées à l'adolescence et à l'âge adulte déclinés selon divers milieux, époques, métiers et circonstances. L'une d'elles avait particulièrement impressionné Ati, on y voyait saisissante de réalisme la maquette d'un champ de bataille bouleversé, des tranchées bourbeuses, d'incroyables enchevêtrements de barbelés, des chevaux de frise, des soldats harassés qui montaient à l'assaut. Les tableaux et les photos révélaient d'autres aspects de la guerre, des villes détruites, des carcasses fumantes, des prisonniers décharnés dans des camps cimetières, des foules hagardes sur les routes fuyant l'ennemi.

Dans une autre salle étaient exposés des équipements de sport et de loisir pendant que les photos aux murs montraient un cinéma, une patinoire, un vol de montgolfière et de parapente, un stand de tir, un cirque, etc. Le jeu, la performance, les sensations fortes étaient le miel de cette époque. Ces choses ayant disparu de l'Abistan depuis la Victoire et le Grand Nettoyage, Ati se demanda où et comment Toz avait pu se les procurer. Et à quel prix.

Il y avait une pièce sombre consacrée aux instruments de torture et de mise à mort, et une autre dédiée aux activités économiques, commerce, industrie, transport. Dans la salle voisine se trouvait une installation sympathique comme Ati et Koa en avaient vu d'assez semblables dans le ghetto des Regs, un comptoir, un garçon acrobatique qui courait entre les tables, des gens qui consommaient pesamment, des branquignols fiers de leurs tatouages, de leurs moustaches et de leurs gros bras de déménageurs qui interpellaient des femmes très avenantes, et au fond de la pièce ce même escalier étroit qui disparaissait dans la pénombre et le mystère. Au mur une eau-forte qui avait clairement servi de modèle à l'installation. Un bristol collé au mur disait, en français dans le texte : « Bistrot français : loubars à l'ancienne taquinant des femmes légères. »

La gravure était signée : « Léo le Fol (1924) ». Une antiquité de la belle époque.

L'avant-dernière salle était consacrée à la vieillesse et à la mort. La mort est une mais nombreux et divers étaient les rites funéraires. Ati ne s'y attarda pas, la vue des cercueils, corbillards, crématoriums, funérariums et d'un squelette anatomique qui avait l'air de s'amuser de sa situation ne l'inspirait pas.

Ati ne voyait pas le temps passer, jamais il n'avait fait un tel voyage, un siècle entier de découverte et de questionnement. Chemin faisant, il se souvenait de ce qu'il avait ressenti lors de son interminable voyage à travers l'Abistan, du Sîn à Qodsabad. Un musée vivant sur plusieurs milliers de *chabirs*, une enfilade sans fin de régions, de lieux-dits, de déserts, de forêts, de ruines, de camps perdus, séparés par des frontières invisibles mais symboliquement aussi hermétiques que des portes cadenassées (surtout si on avait oublié de faire poinçonner son visa de circulation). Cette grande variété de peuples, de coutumes, d'habitations, d'ustensiles, d'outils de travail avait peu à peu changé son regard sur l'Abistan et sur sa propre vie ; en arrivant à Qodsabad, Ati était un autre homme, il ne reconnaissait personne et les gens ne le reconnaissaient que par ouï-dire, il était l'homme de la phtisie, le miraculé du Sîn, le protégé de Yölah. Était-ce cela qu'on attendait d'un musée ? Dire la vie comme un livre, la mimer pour le plaisir, transformer les gens ? Des objets, des tableaux, des photos, une mise en scène avaient-ils réellement ce pouvoir de modifier la vision des hommes sur la vie et sur eux-mêmes ?

Au terme du voyage, Ati retrouva Toz dans une vaste salle vide. Celui-ci lui en expliqua la symbolique : Ati était entré dans le musée par une pièce vide, il en ressortait par une pièce vide, c'était l'image de la vie prise entre deux néants, le néant d'avant la création et le néant d'après la mort. La vie est contrainte aux bornes, elle ne dispose que de son temps, bref, découpé en tranches sans liens entre elles sinon ceux que l'homme trimbale en lui d'un bout à l'autre du bail, des souvenirs incertains de ce qui fut et des attentes vagues de ce qui sera. Le passage de l'une à l'autre n'est pas explicité, c'est le mystère, un jour le beau bébé dormeur invétéré disparaît, chose qui n'alarme personne, et un petit enfant turbulent et curieux, un farfadet, apparaît à la place, ce qui ne surprend guère la maman qui se retrouve avec deux seins lourds inutiles. Plus avant interviendront d'autres substitutions aussi subreptices, un bonhomme épaissi et soucieux remplacera au pied levé le jeune homme svelte et souriant qui se tenait là, et à son tour par on ne sait quel tour de passe-passe le bougre migraineux cédera le siège à un homme voûté et taciturne. C'est à la fin qu'on s'étonne, quand un mort encore tout chaud remplace subitement le vieillard mutique et froid cloué dans sa chaise devant la fenêtre. C'est la transformation de trop, parfois bienvenue cependant.

« La vie passe si vite qu'on ne voit rien », se dira-t-on sur le chemin du cimetière.

Toz et Ati passèrent l'après-midi à philosopher avec une vraie tristesse. Toz vivait dans la nostalgie d'un monde qu'il n'avait pas connu mais qu'il pensait avoir correctement reconstitué en tant que nature morte, à laquelle il voudrait maintenant insuffler la vie. À quoi cela servirait-il? Ils s'accordèrent pour dire que la question n'avait pas de sens, le vide était l'essence du monde mais cependant n'empêchait pas le monde d'exister et de se remplir de riens. C'est le mystère du zéro, il existe pour dire qu'il n'existe pas. Au regard de cela le *Gkabul* était la réponse parfaite, à l'absolue inutilité du monde ne pouvait répondre que l'absolue et réconfortante soumission des êtres au néant. Néant on est, néant on reste, et la poussière à la poussière retourne. De son côté, Ati avait fait le tour de la question d'une autre manière, il était arrivé à l'idée que la fin du monde commençait à sa naissance, le premier cri de la vie était aussi le premier râle de la mort. Au fil du temps et des souffrances il s'était convaincu que plus un mal durait longtemps, plus vite arrivait sa fin et plus tôt la vie commençait un nouveau cycle. Il ne s'agissait pas d'attendre avec des questions plein la tête mais d'accélérer le processus, mourir dans l'espérance d'une nouvelle vie était quand même plus digne que de vivre en désespérant de se voir mourir.

Ils convinrent honnêtement que le grand malheur de l'Abistan était le *Gkabul* : il offrait à l'humanité la soumission à l'ignorance sanctifiée comme réponse à la violence intrinsèque du vide, et, poussant la servitude jusqu'à la négation de soi, l'autodestruction pure et simple, il lui refusait la révolte comme moyen de s'inventer un monde à sa mesure, qui à tout le moins viendrait la préserver de la folie ambiante. La religion, c'est vraiment le remède qui tue.

L'histoire du *Gkabul* avait un temps intéressé Toz. Il était né dedans, il ne le voyait pas, le *Gkabul* était l'air qu'il respirait, l'eau qu'il buvait, et il le portait dans sa tête comme on portait son *burni* sur le dos. Mais très tôt il s'était senti mal, à l'école déjà il découvrait que l'enseignement public était une calamité, source de toutes les calamités, une chose si insidieuse, imparable et implacable comme la mort. Elle faisait de lui, avec un vrai engouement de sa part, un petit directeur de conscience compulsif et hargneux, avaleur de contes noirs et de légendes gamines, réciteur de versets abracadabrantesques, de slogans obtus et d'anathèmes insultants, et pour l'exercice physique, un parfait exécuteur de pogroms et de lynchages en tout genre. Il ne restait plus de temps ni d'attention pour le reste, les matières facultatives, la poésie, la musique, la poterie, la gymnastique. Comme fils d'Honorable, frère d'Honorable et peut-être Honorable lui-même un jour, il était en plus tenu à l'aveuglement du conducteur en chef sûr de son fait et de sa machine. En étudiant un peu le *Gkabul* pour corriger la marche et se rééduquer, il perdit et l'espoir et l'espérance, le *Gkabul* n'était pas pour éveiller le malheureux, il était un lest pour le couler par le fond, et l'école n'y était pour rien, la pauvre dame enseignait ce qu'on lui donnait à enseigner et elle le faisait plutôt bien, rares étaient les survivants. Il était trop tard, le *Gkabul* avait diffusé son hypnose dans le corps et l'âme profonde du peuple et régnait sur lui en maître absolu. Combien de siècles faudrait-il pour le désenvoûter était la seule vraie bonne question.

L'air de rien, il s'ouvrit un chemin interdit et s'y engagea à fond. Il n'y en avait qu'un en vérité, celui qui remontait le temps. Le *Gkabul* ayant colonisé le présent pour tous les siècles à venir, c'est dans le passé, avant son avènement, qu'on pouvait lui échapper. Avant nous les hommes n'étaient pas tous ainsi, des bêtes sauvages, bornées et toutes pleines de mauvaise foi. Il se perdit un peu en route, l'Histoire elle-même se perdait dans le maquis, il n'y avait pas la moindre piste vaillante, elles avaient toutes été coupées et effacées. Les historiens les plus aguerris savaient remonter jusqu'à 2084, pas plus, pas au-delà. Comment, sans la sainte ignorance et la mise en apathie totale des cerveaux, aurait-on convaincu ces pauvres peuples qu'avant la naissance de l'Abistan il n'y avait que l'univers incréé et inconnaissable de Yölah? La chose est des plus simples, il n'est que de choisir une date et d'arrêter le temps à cet instant, les gens sont déjà morts et empêtrés dans le néant, ils croiront à ce qu'on leur dira, ils applaudiront à leur renaissance en 2084. Ils n'auront que ce choix, vivre dans le calendrier du *Gkabul* ou retourner à leur néant originel.

La découverte du passé avait failli tuer Toz. Tout cultivé qu'il était, il ne savait pas que 2083 existait ni qu'on pouvait remonter plus haut encore. Une terre ronde est un drame vertigineux pour qui la voyait plate et bornée. La question « Qui sommes-nous ? » était subitement devenue « Qui étions-nous ? », on s'imagine du coup tout autre, couvert de ténèbres et de laideur, quelque chose s'est brisé, la pierre d'angle qui tenait l'univers, et voilà ce pauvre Toz jeté en l'air, vivant comme un fantôme parmi d'antiques fantômes. Personne ne sait remettre le temps dans sa linéarité et sa cohérence si celles-ci ont été rompues de cette façon. Toz ne le savait toujours pas, il était quelque part entre hier et aujourd'hui.

Après bien des recherches et des efforts, il réussit un jour à forcer la barrière du temps et à remonter tout le vingtième siècle. C'était miraculeux, un croyant ne peut de son vivant échapper à l'attraction phénoménale du *Gkabul*. Il fut saisi d'émerveillement. Il découvrit ce que, au fond, tout homme qui ouvre les yeux entendrait comme vérité première : avant le monde est le monde et après le monde est encore le monde. Il découvrit un siècle si riche auquel rien ne manquait, des langues par centaines, des religions par dizaines, un foisonnement de pays, de cultures, de contradictions, de folies, de libertés sans freins, de dangers insurmontables déjà, mais aussi des espoirs nombreux et sérieux, des mécanismes rodés, des observateurs bénévoles à l'affût des dérapages, des refuzniks aguerris, des hommes de bonne volonté que l'effort ne rebutait pas mais encourageait. La vie est exubérante et vorace, en bien et en mal, et ici en ce siècle elle l'avait prouvé. Il ne lui avait manqué qu'une chose, le moyen simplement mécanique de courir occuper les étoiles.

Il découvrit aussi, perçues par tous très tôt, mais minimisées, relativisées par lourdeur, peur, calcul, porosité de l'air ou simplement parce que les alerteurs manquaient d'acuité et de voix, les prémices de ce que serait le monde avant peu, si rien n'était fait pour remettre les choses à l'endroit. Il avait vu arriver 2084, et suivre les Guerres saintes et les holocaustes nucléaires ; plus fort, il vit naître l'arme absolue qu'il n'est

besoin ni d'acheter ni de fabriquer, l'embrase-
ment de peuples entiers chargés d'une violence
d'épouvante. Tout était visible de chez prévi-
sible mais ceux qui disaient « Jamais ça » et ceux
qui répétaient « Plus jamais ça » n'étaient pas
entendus. Comme en 14, comme en 39, comme
en 2014, 2022 et 2050, c'était reparti. Cette fois,
en 2084, c'était la bonne. L'ancien monde avait
cessé d'exister et le nouveau, l'Abistan, ouvrait
son règne éternel sur la planète.

Que faire lorsque, regardant le passé, on voit
le danger foncer sur ceux qui nous ont précédés dans l'Histoire ? Comment les avertir ?
Comment déjà dire à ses propres contemporains que, lancés comme ils sont lancés, les malheurs d'hier les atteindront bientôt ? Comment
les convaincre quand leur religion leur interdit
de croire à leur mort, quand ils sont convaincus que leur place au paradis est retenue et les
attend comme une suite dans un palace ?

Il découvrit avec étonnement les origines du
Gkabul. Ce n'était pas de la génération spontanée. C'était simple, il n'y avait rien de miraculeux, il n'était pas la création d'Abi instruit par
Yölah, comme nous l'enseignons avec sérieux
et gravité depuis 2084, il viendrait de loin, du
dérèglement interne d'une religion ancienne qui
jadis avait pu faire les honneurs et les bonheurs
de maintes grandes tribus des déserts et des
plaines, dont les ressorts et les pignons avaient
été cassés par l'usage violent et discordant qui

en avait été fait au cours des siècles, aggravé par l'absence de réparateurs compétents et de guides attentifs. Le *Gkabul* était né de ce manque de soin dû à une religion qui, en tant que somme et quintessence des religions qui l'avaient précédée, se voulait l'avenir du monde.

Qui est malade est faible et à la merci des vauriens. Regroupés dans une clique nommée « Les Frères messagers », des aventuriers sentant la fin proche autour d'eux décidèrent de créer une nouvelle religion sur les décombres de l'ancienne. Bonne idée, ils empruntaient ce qu'il restait de force à la première qui s'ajouta à la nouvelle. Elle attirait les foules par la nouveauté de son discours, son jeu tactique, son marketing commercial et son agressivité militariste. Leurs successeurs firent mieux, ils révisèrent les grands symboles, ils inventèrent Abi et Yölah, écrivirent le *Gkabul*, construisirent la Kiïba et la Cité de Dieu, fondèrent la Juste Fraternité et se donnèrent le titre de *chik* qui veut dire Honorable (pour se démarquer des grossiers Frères messagers). Une fois bien dotés de symboles forts et d'une bonne armée, ils rompirent les liens avec l'ancienne religion qui ne servait plus à rien, elle se mourrait chez les vieux et les vieilles et chez quelques savants égarés qui croyaient au miracle de la Résurrection et en la possibilité d'une Jouvence. Il s'agissait plutôt de faire oublier tout ça et de traquer les nostalgiques, ils sont dangereux, ils pourraient avoir envie de ressusciter les morts.

« Cela reste évidemment une hypothèse de travail, il y a toujours beaucoup de secret et d'intox dans les religions et les stratégies militaires, qui à vrai dire sont les deux faces de la même affaire... Il faut poursuivre la réflexion », ajouta Toz.

Ati se rendait compte d'un sentiment étrange en lui, il ne ressentait aucun intérêt pour une question qui lui avait pourtant assez occupé l'esprit. Ce que Toz avait dit de ses travaux sur l'Histoire et de ses réflexions sur la vie était en soi une réponse. S'il se décida à la poser c'était parce que l'occasion était là et qu'elle ne reviendrait pas.

« Dis-moi, Toz, tu as sans doute lu le rapport Nas... Peux-tu m'en parler ?

— Euh... je ne sais que te dire... Ce sont des secrets d'État, je ne suis pas censé les connaître, je n'ai aucune fonction officielle à part d'être le frère de Sa Seigneurie... et à vrai dire c'est très compliqué... en fait, voilà : le rapport n'existe pas... Il n'y a jamais eu de rapport Nas, c'est une pièce fictive d'un plan fictif... qui s'est écrite au fur et à mesure. À son retour de mission, Nas, qui savait le danger que représentait la découverte de ce village, a fait un rapport oral à son ministre en tête à tête et, comme je l'imagine, celui-ci lui a ordonné de n'en souffler mot à personne... Il aviserait, il verrait, il réfléchirait, lui aurait-il dit. Puis Nas a disparu et c'est là seulement qu'on a commencé à parler d'un rapport... puis *du* rapport... et, comme souvent, à force de parler d'une idée elle devient réalité... Le rapport Nas est apparu... On disait LE *rapport Nas*... Il s'est créé autour de lui une atmosphère, une légende... À ce stade, il fallait bien traiter l'affaire, et de ce rapport qui n'existait pas on a fait des copies et on les a transmises aux Honorables en vue d'une délibération de la Juste Fraternité... Ce rapport écrit par on ne sait qui de la Juste Fraternité ou de l'Appareil racontait n'importe quoi... Le village serait une base avancée de l'Ennemi, le fameux Démoc s'y serait caché, des hérétiques y auraient fondé une communauté inféodée à Balis, etc. Je me suis rendu dans ce village avec un groupe d'experts missionné par le Grand Commandeur pour tirer cette histoire au clair... Bri m'a désigné pour être de cette commission dans laquelle chaque clan a tenu à placer son représentant. Sous la présidence de Tat, le chef de cabinet du Grand Commandeur, nous avons rédigé un rapport technique qui s'est aussitôt vu frappé du secret absolu et est lui-même devenu LE *rapport Nas*. Sans trahir quoi que ce soit, je te dirai qu'effectivement nous avons trouvé dans ce village des choses troublantes, on aurait dit qu'il avait hébergé une communauté qui avait expérimenté là une façon de vivre et de s'administrer réglée sur le libre arbitre de chacun. C'était incompréhensible pour beaucoup d'entre nous, ils ne voyaient comment on pourrait s'organiser sans qu'il y ait unité préalable autour d'un chef, une religion et une armée. Cette histoire montre tout le drame de l'Abistan, nous avons inventé un monde si absurde qu'il nous faut nous-mêmes l'être chaque jour un peu plus pour seulement retrouver notre place de la veille, enfin bref, au final on a inventé un rapport pour dire ce qui nous faisait peur et dont nous ne voulions pas entendre parler. L'Histoire nous entraîne dans sa folie. L'autre conséquence dramatique est que l'affaire a divisé la Juste Fraternité et modifié les rapports de forces en son sein, et chez nous c'est automatique, cela veut dire : la guerre. »

Après avoir si abondamment philosophé et commenté l'actualité, les deux explorateurs de l'âme abistanaise en viennent à se poser la seule vraie bonne question : « Et maintenant, que faire ? »

Toz a un plan tout tracé depuis longtemps : il poursuivra ses recherches, persuadé qu'elles serviront un jour ; quand les hommes de bonne volonté sauront se reconnaître et se mobiliser, ils trouveront les matériaux qu'il a si péniblement rassemblés. Le reste du temps, il aidera son neveu Ram, sous ses airs de comploteur impénitent qui veut être calife à la place du calife il est un réformateur, c'est-à-dire un vrai révolutionnaire qui réalise ses réformes au lieu de seulement les chanter. Il le rejoint sur bien des points : éliminer la Juste Fraternité, déman-teler l'Appareil, ouvrir la Cité de Dieu, faire de la Kiïba un musée multimillénaire, détruire le mythe absurde d'un Abi qui serait vivant et éternel, réveiller les gens, installer une assemblée de représentants et un gouvernement responsable devant elle, voilà des chantiers exaltants. Le peuple en mourra peut-être, il tient à ses dieux et à ses malheurs, mais resteront les enfants, ils ont de l'innocence en eux, ils apprendront vite une autre façon de rêver et de faire la guerre, nous les appellerons à sauver la planète et à combattre hardiment les marchands de fumée. Le danger que Ram devienne un affreux calife existe et il le sait, aussi veut-il ménager une transition qui fasse émerger des compétiteurs tenaces et compétents... Son idée est que si tous veulent être califes à la place du calife, ils se neutraliseront, ils seront forcés de s'entendre pour continuer à faire des affaires aussi bonnes, ils arriveront enfin à comprendre que perdre n'est pas fatalement mourir assassiné et gagner n'est pas forcément tuer l'autre... Il ne faut pas les empêcher de rêver, au contraire... Les plus dangereux sont ceux qui ne rêvent pas, ils ont l'âme glacée.

...

Toz continue de développer ses idées. Elles sont belles et réalistes mais irréalisables et il le sait. Il cherche à se convaincre. La révolution voulue par Ram finira dans un bain de sang et rien ne changera, l'Abistan est l'Abistan et restera l'Abistan. Les Honorables et leurs fils, qui déjà se voient Honorables à la place de leurs

Honorables de pères, eux aussi rêvent et comp-
lotent pour être califes à la place du calife. Qui
accepterait de céder la place au meilleur? Tous
sont meilleurs que le meilleur d'entre eux, chacun est le génie que le peuple attend.

Et soudain il s'arrête, il prend conscience
qu'il parle tant parce qu'au fond il n'a rien à
dire, en fait il ne croit pas un mot de ce qu'il dit.
Il demande : « Et toi, Ati, que veux-tu faire? »

Ati n'eut pas à réfléchir, il comprit qu'il savait
ce qu'il voulait depuis longtemps, depuis plusieurs mois… Depuis son séjour au sanatorium
du Sîn, il n'avait pas cessé un instant d'y songer. Il savait son choix mauvais, irréalisable,
irrémédiable, il le conduirait à une désillusion
terrible, des souffrances inhumaines, une mort
certaine… mais qu'importait, c'était son choix,
un choix de liberté.

Toz attendait sa réponse :

« Oui, dis-moi… que veux-tu faire, où veux-tu
aller?

— Crois-tu, cher Toz, que Ram me permettrait de quitter le fief… avant que sa révolution
aboutisse?

— Oui, sûrement… Je m'en porte garant.

— Crois-tu que si je lui demandais de me
faire déposer quelque part en Abistan, il le
ferait?

— Pourquoi pas, s'il n'y a rien dans ta
démarche qui mette en danger ses plans? Là
aussi je ferai tout pour qu'il accepte… »

Ati resta silencieux un moment puis il parla :

« Dis-moi encore, Toz… il y a peu de temps, tu nous avais demandé, à Koa et à moi, si nous connaissions Démoc… qui existerait sans exister ou l'inverse… Je voudrais à mon tour te poser une semblable question…

— Je m'en souviens… je t'écoute.

— As-tu entendu parler de… la Frontière… La connais-tu ?…

— La frontière ?… Quelle… ah, la Frontière… oui, je connais… on en parle comme on parle du loup aux enfants pas sages, c'est une blague, une ruse pour décourager les contrebandiers, les clandestins, les volants qui voyagent sans autorisation… On leur dit que c'est par là que l'Ennemi surgira un jour et viendra les égorger…

— Y a-t-il une chance sur mille que la Frontière existe ?

— Pas une sur un million… il n'y a que l'Abistan sur terre, tu le sais bien…

— Vraiment ?

— Bon… il peut y avoir ici ou là une île, par exemple, qui échappe encore à la juridiction de l'Abistan…

— Il y a aussi les ghettos… J'ai vu le grand ghetto des Sept sœurs de la désolation… On l'appelle ghetto mais c'est un pays… tout petit mais un pays quand même, et son peuple est un peuple d'hommes et de femmes bien vivants et non de chauves-souris mutantes… Il y a bien là une Frontière, et solidement gardée… et je ne parle pas de la Frontière des frontières qui isole hermétiquement la Cité de Dieu... ni de celles qui séparent oiseusement les soixante quartiers de Qodsabad et les soixante provinces de l'Abistan...

— Ce n'est rien tout ça, cher Ati, une goutte d'eau dans la mer, des anachronismes, des bêtises, des démonstrations d'incompétence de l'Appareil qui à force de jouer avec le feu s'est intoxiqué lui-même et a tout quadrillé... Quant aux Regs, ce sont... euh... ils font partie de l'Abistan... le peuple et le Système ont besoin d'eux, il faut des fantasmagories de ce genre pour canaliser les haines et les colères, et renforcer l'idée d'une race supérieure pure, soudée, menacée par les parasites. C'est vieux comme le monde... Quelle est au fait ton idée? Mais j'ai peur d'avoir déjà compris... c'est tout simplement de la folie!

— Oui, c'est bien ça, cher Toz... je voudrais que Ram me fasse déposer dans un endroit de la montagne du Sîn dans la chaîne de l'Ouâ... dans un endroit où cette Frontière a une chance sur un million de se trouver... Si alors, par miracle, elle existe, je la trouverai et je la franchirai... et je le verrai de mes yeux ce vingtième siècle que tu as si fidèlement reconstitué...

— C'est de la folie... Comment peux-tu croire cela?

— J'ai mille raisons d'y croire, j'y crois parce que l'Abistan vit sur le mensonge, rien n'a échappé à ses falsifications, et comme il a modifié l'Histoire il a pu aussi inventer une nouvelle géographie. À des gens qui ne sortent jamais de leur quartier, tu peux faire croire ce que tu veux... J'y crois de plus en plus depuis que je te connais, Toz... Tu as bien cru en ton vingtième siècle et tu l'as ressuscité, il est là, tout beau, tout pimpant dans ce musée miraculeux... Tu connais ce siècle, tu as vu que ses habitants possédaient la science et la technologie et certaines vertus qui malgré tous les quant-à-soi leur ont permis de préserver le pluralisme et de le vivre même dans la douleur... À propos de technologie, l'Abistan n'en manque pas : d'où vient-elle puisque nous ne la fabriquons pas ?... N'est-ce pas qu'il y a une frontière quelque part qui lui permet d'arriver jusqu'à nous ?... Tu as bien cru, cher Toz, que des hommes de bonne volonté existaient en Abistan et pourraient un jour savoir se reconnaître et se mobiliser pour sauver leur pays et leurs âmes... Tu es de ceux-là et beaucoup le pensent dans ce pauvre A19, si près et si loin de la Cité de Dieu... Pourquoi ne croirais-je pas de mon côté que ces hommes du vingtième siècle n'ont pas tous disparu dans les Guerres saintes, les holocaustes, les exterminations de masse, les conversions forcées ?... Pourquoi ne verrais-je pas en moi un homme de bonne volonté qui s'est reconnu comme tel et qui se mobilise pour établir, rétablir un lien entre notre monde et l'autre monde ?... Oui, pourquoi pas, cher Toz, pourquoi pas ?... Je sais pour l'avoir appris sur place, au sanatorium du

Sîn, que parfois des caravanes entières disparaissaient derrière cette... Frontière... Si elles
s'étaient égarées, elles auraient fini par retrouver
le chemin et revenir, n'est-ce pas?... Et si on a
inventé cette histoire de Frontière pour terro-
riser les enfants et les contrebandiers, n'est-ce
pas parce qu'on savait que la chose avait existé?
Et peut-être en reste-t-il un petit bout quelque
part dans les confins glacés de l'Ouâ... Je veux
tenter l'aventure : arrivé où je suis arrivé, c'est
le seul choix que je peux faire... Cette vie dans
ce monde est finie pour moi, je veux, j'espère en
commencer une autre de l'autre côté. »

Toz resta silencieux. Sa lèvre tremblait lorsqu'il répondit à Ati :
« Je demanderai à Ram... Oui, je le ferai et je
ferai tout pour le convaincre. Quand tu seras de
l'autre côté, tu me le feras savoir d'une manière
ou d'une autre et tu m'aideras à compléter mon
musée... et un jour je lui insufflerai peut-être la
vie. »

Un long, très long silence s'installa, qu'Ati
brisa d'un coup :
« Cher Toz, juste pour ne pas mourir idiot,
dis-moi rapidement trois choses : d'abord, pourquoi as-tu éclaté de rire quand Koa t'a offert la
lettre qu'Abi avait adressée au *mockbi* Kho pour
le féliciter d'avoir envoyé tant de jeunes à la
mort?

313

— Le *mockbi* Kho était un ami de la famille, nous savions tous son goût immodéré pour la gloire. Il a inondé le pays de cette lettre qu'il a écrite lui-même et donnée au Grand Commandeur pour la faire signer par Abi. Sur la base de son travail et au vu de cette reconnaissance, Bri, en tant qu'Honorable chargé des Grâces et des Canonisations, l'a proposé à la béatification et va sans doute l'obtenir un de ces jours, ces choses avancent plutôt lentement. Quoi d'autre ?

— Comment as-tu su si vite que nous venions d'être attaqués par les chaouchs de la place de la Foi suprême ? La question me turlupine.

— Comme je te l'ai dit, Ram a mis tout un dispositif de sécurité autour de moi, tous ceux qui m'approchent sont scannés et durement repoussés en cas de doute. Vous étiez mes protégés, si je puis dire, vous étiez donc surveillés… par qui, je ne sais… votre voisine, son mari, mon factotum Mou, qui d'autre ? C'est mon agent Der qui est venu me réveiller pour m'annoncer la catastrophe dans laquelle vous vous étiez inconsidérément jetés.

— Quelle est donc cette langue très ciselée utilisée dans la signalisation des bureaux du Grand Chambellan ?

— Tu as remarqué ça ?… Bravo… C'est la langue dans laquelle était écrit le livre sacré qui a précédé le *Gkabul*… une langue très belle, riche, suggestive… Comme elle inclinait à la poésie et à la rhétorique, elle a été effacée de l'Abistan, on lui a préféré l'*abilang,* il force au devoir et à la stricte obéissance. Sa conception s'inspire de la novlangue de l'Angsoc. Lorsque nous occupâmes ce pays, nos dirigeants de l'époque ont découvert que son extraordinaire système politique reposait non pas seulement sur les armes mais sur la puissance phénoménale de sa langue, la novlangue, une langue inventée en laboratoire qui avait le pouvoir d'annihiler chez le locuteur la volonté et la curiosité. Nos chefs d'alors prirent pour base de leur philosophie les trois principes qui ont présidé à la création du système politique de l'Angsoc : "La guerre c'est la paix", "La liberté c'est l'esclavage", "L'ignorance c'est la force"; ils ont ajouté trois principes de leur cru : "La mort c'est la vie", "Le mensonge c'est la vérité", "La logique c'est l'absurde". C'est ça l'Abistan, une vraie folie.

« Bri et Viz me reprochent ma nostalgie pour le vingtième siècle mais eux sont nostalgiques de cette langue et de ses charmes... Il leur arrive d'écrire des poèmes et de se les réciter en famille... mais attention, c'est un secret d'État, il ne doit pas sortir du fief... Satisfait?

— Pas complètement mais il faut laisser quelques secrets pour l'autre vie, si elle existe et s'il est permis de s'y exprimer. »

ÉPILOGUE

Dans lequel on apprendra les dernières nou-
velles de l'Abistan. Elles ont été cueillies dans
différents médias : La Voix de la Kiïba,
Nadir1-Station de Qodsabad, les NoF, *la*
gazette des CJB intitulée Le Héros, La Voix
des Mockbas, La Fraternelle des Civiques,
la Revue des armées, etc. Il convient de les
prendre avec la plus grande circonspec-
tion, les médias abistani étant avant tout
des instruments de manipulation mentale
au service des clans.

L'information a été donnée en premier par *La Voix de la Kiïba*. En vérité, elle ne faisait que répercuter le communiqué du Ras, le bureau du présidium de la Juste Fraternité :

Le cabinet de la sainte Kiïba a fait savoir ce matin que Son Excellence sérénissime l'Honorable Duc, Grand Commandeur des croyants, président de la Juste Fraternité, Maître exclusif de ses seigneuries dispersées en les soixante provinces de l'Abistan, a eu un léger malaise qui le tiendra absent un certain temps.

Durant son absence, l'intérim de la Commanderie de la Juste Fraternité sera assuré par Sa Seigneurie l'Honorable Bri. Par ordre express d'Abi le Délégué, le salut sur lui, et de la Juste Fraternité réunie au complet, chacun, peuple et institutions, est appelé à lui obéir fidèlement et tout faire pour faciliter sa tâche.

Signé : Pour la Juste Fraternité réunie en séance extraordinaire et par délégation du

Commandeur des croyants par intérim, l'Honorable Bri, le chef de cabinet, le Sous-Honorable Tat.

Une semaine plus tard, *Nadir* 1-Station de Qodsabad a passé l'info suivante sur une image fixe, montrant un stade dans lequel se déroulait une exécution de masse :

Nous apprenons, sous réserve de confirmation du ministère de la Morale et de la Justice divine, que deux cent cinquante criminels auraient été condamnés à mort par décret religieux émis par le Grand Jury de la Juste Fraternité. Bravo déjà à nos brillants agents de l'Appareil qui ont su les débusquer et les confondre en si peu de temps. Si l'appel à la clémence qu'ils ont introduit auprès du Grand Commandeur par intérim, Sa Seigneurie l'Honorable Bri, est rejeté, ils seront décapités après la grande Imploration du Jeudi dans différents stades de la capitale. Selon une source proche de la Kiïba, ces criminels auraient colporté la plus incompréhensible, la plus méprisable et la plus ridicule des rumeurs jamais apparues en la terre sacrée d'Abistan, savoir qu'en raison d'une subite aggravation de son état de santé le Grand Commandeur Duc aurait été dans la nuit évacué par avion présidentiel dans un lieu inconnu qu'ils désignent par ce mot insignifiant, l'« Étranger », où lui seraient dispensés des soins spécialisés que l'Abistan ne peut ni ne sait délivrer. Quelle honte ! C'est quoi l'Étranger, c'est où, c'est qui ? Aucun Abistanais n'hésiterait une seconde à appliquer lui-même à ces dangereux *makoufs* la juste sentence prononcée par le Grand Jury. Le peuple unanime prie le Grand Commandeur de rejeter de manière méprisante leur appel à clémence. La décapitation est déjà une grande indulgence, pareille engeance devrait être livrée au pal, à l'écartèlement, à l'ébouillantement. Que Yölah redonne la santé à notre Grand Commandeur Duc et veille sur celle de notre Grand Commandeur par intérim Bri.

Dans une livraison récente, les *NoF* rapportent l'information suivante :

Selon une source proche du ministère de la Guerre et de la Paix, d'intenses combats se dérouleraient en ce moment dans les zones désertiques du sud-est de l'Abistan. Nos informateurs pensent que ces combats impliquent des milices libres contrôlées par certains milieux plus ou moins liés à des membres du gouvernement. Ces combats viennent-ils confirmer une rumeur qui circule depuis quelque temps, savoir que la Juste Fraternité est entrée en conclave pour élire le nouveau Commandeur ? Selon une autre source, la situation est autrement plus compliquée : la Juste Fraternité se serait divisée et tiendrait deux conclaves en deux endroits secrets. On comprend dans ces conditions que l'armée, que chacun accuse de tous les maux, reste dans ses camps et ses casernes. À qui obéirait-elle, elle reçoit des ordres contradictoires ? Dans notre prochaine livraison, nous fournirons les informations décisives que nos enquêteurs sont en ce moment même en train de recueillir auprès d'un personnage essentiel du pouvoir. Elles nous confirmeront sans doute, avec plus de détails, ce qu'un manutentionnaire de l'aéroport de la Juste Fraternité nous a révélé cette nuit, à quelques minutes du bouclage du journal, savoir qu'une équipe médicale désignée par le cabinet de la Juste Fraternité venait d'embarquer dans un jet pour se rendre dans cet Étranger dont on parle beaucoup en ce moment, à l'effet de constater le décès de notre Grand Commandeur et de ramener au pays son auguste dépouille. Que Yölah l'accueille dans son paradis.

La *Revue des armées* livre le communiqué suivant (non signé) de l'État-major général :

Devant le déferlement insensé de rumeurs qui mettent en danger la stabilité de l'Abistan, le Commandement général de l'armée tient à préciser que l'armée est au service du gouvernement et de la Juste Fraternité en tant qu'institutions suprêmes du pays, réunies sous l'autorité du Grand Commandeur par intérim, l'Honorable Bri. Elle dément avec force que des combats intenses se déroulent dans quelque région de la planète que ce soit, les services de renseignements de l'armée n'ont rien observé d'autre que les habituels affrontements, parfois excessifs, entre responsables locaux, des accrochages entre nos forces armées et des contrebandiers, des échauffourées entre émeutiers et forces de l'ordre ou des règlements de comptes entre bandes rivales de délinquants. L'État-major général appelle chacun à se ressaisir et à se tenir au seul service de la Juste Fraternité sous la direction éclairée de l'Honorable Bri, Commandeur des croyants par intérim.

Dans *La Fraternelle des Civiques*, l'immonde torchon de l'ALC (l'Association libre des Civiques), a été pêchée cette longue et étrange histoire. Sachant le niveau d'ignorance crasse des pisseurs de copie de cette feuille de chou, il est clair comme le soleil que ce texte a été écrit par le fantôme de service de la maison.

C'est un certain Afr, clochard de son métier, que les Civiques ont maintes et maintes fois roué de coups sans qu'il s'amende jamais, qui s'est présenté à la caserne des Civiques du huitième district du H46 pour révéler que l'avant-veille il avait vu un transfuge recherché depuis plusieurs semaines dans son quartier, le S21, un certain Ati. Intrigué de le voir si loin de ce quartier, dont il est lui-même originaire, il l'a suivi. Il était en compagnie d'un inconnu, un homme imposant. Il les a vus entrer dans la maison d'un honnête commerçant, le ferblantier Buk. Poussé par sa nature intempestive et chapardeuse, Afr s'est introduit dans le jardin de la maison et par la fenêtre a vu une scène étrange, le transfuge Ati en grande conversation avec la digne épouse du ferblantier à laquelle il offrait un cadeau enveloppé dans une belle soierie. Le mari n'étant pas dans la pièce, il a soupçonné un crime d'adultère. Il se voyait doublement récompensé à la prochaine Joré, et pour avoir repéré et signalé un transfuge recherché, et pour avoir surpris un crime d'adultère. Il aurait gagné sa journée. Les Civiques, qui savent tout parce que vivant parmi la population et jouissant de sa pleine confiance, ont voulu tirer cette histoire au clair mais le transfuge Ati et son complice avaient disparu. Convoqué et sommé de s'expliquer, le sieur Buk a crié à l'arnaque, il a raconté que Tar s'était présenté à lui comme un riche commerçant, venu lui proposer d'acheter sa production de marmites et de bassines sur dix ans afin d'honorer son contrat avec une société appartenant à l'Honorable Dia, et qu'au grand dîner offert par lui pour fêter son succès Tar était venu avec un sien cousin, de passage au H46, qui s'appelait Nor et non Ati.

Les Civiques firent rapport à qui de droit mais, comme toujours, jamais ne reçurent ni remerciements ni informations sur les suites données à l'affaire. Plus tard, apprenant que deux individus louches s'étaient introduits dans la Cité de Dieu et que l'un d'eux avait été abattu dans le A19 par des chaouchs libres, ils firent un lien avec le transfuge et son complice et, dans un rapport complémentaire à l'autorité, ils proposèrent l'hypothèse que les arnaqueurs du H46 et les bandits du A19 étaient les mêmes personnes et que, de ce fait, il leur paraissait efficace de transmettre le dossier aux Civiques du A19. Ce qu'ils firent, mais ces derniers ne purent aller loin dans leurs investigations, le cadavre de l'homme abattu par les chaouchs ayant disparu. Pas de cadavre, pas de crime, pas d'affaire ; quant à l'autre individu, il s'est purement et simplement volatilisé. Il faut aussi signaler, pour le regretter, que dans le A19 les prérogatives des Civiques ont été drastiquement limitées par édit de l'Honorable Bri, gouverneur et préfet de police du quartier.

Voilà où en est la sécurité dans notre pays : un dangereux transfuge qui court librement d'un quartier à l'autre, un honnête ferblantier qui se fait arnaquer par de faux commerçants, un individu abattu par des chaouchs inconnus et dont le cadavre disparaît au moment où on veut le faire parler alors qu'il a été vu et bien vu par des enfants jouant dans un terrain vague, son complice qui s'évapore sans laisser de trace… et les hautes autorités ne font rien, ne décrètent pas l'état d'urgence, n'organisent pas de ratissages ni de battues, n'arrêtent personne. Elle est belle, la justice en Abistan. C'est à se demander à quoi cela sert d'être un Civique dans ce pays !

La Voix des Mockbas a quant à elle publié un appel à la vigilance plutôt alarmant. Il dit ceci :

Nous assistons ces derniers temps à un phénomène nouveau qui ne manque pas d'être inquiétant : des personnes venues d'on ne sait où se répandent dans le pays pour appeler à plus d'orthodoxie dans la pratique de notre sainte religion. Pour le moment, elles écument les petites *mockbas*, parce que peu ou pas surveillées, mais on les voit s'enhardir et se glisser dans toutes les brèches, et Dieu sait que l'Abistan en compte. C'est clair, ces singes savants ont un maître qui les a bien dressés, ils tiennent le même discours au mot près. Nos jeunes croyants semblent hélas apprécier ces diatribes qui les appellent à prendre les armes et à tuer les honnêtes gens. C'est avec horreur qu'on a découvert que ces démons portaient sur eux des bombes prêtes à exploser, qu'ils actionnent dès lors qu'ils sont découverts et acculés. Cette défense diabolique rend impossible toute enquête qui permettrait de savoir qui ils sont, d'où ils viennent et pour qui ils travaillent. L'Association des *mockbis* appelle ses membres et notamment ceux qui officient dans les petites *mockbas* à redoubler de vigilance et à signaler à la police le plus discrètement ceux qu'ils soupçonnent d'être de cette horde infernale. Elle appelle enfin les CJB, les Croyants justiciers bénévoles, à renforcer leur emprise sur les jeunes dans les rues, faute de quoi elle se verrait dans l'obligation de leur retirer l'autorisation d'exercer la police religieuse dans les lieux publics. Ce serait bien assez qu'ils l'exercent chez eux, sur leurs enfants. Ce n'est pas tout d'avoir un chat qui se balade et se pourlèche dans la demeure, il faut aussi qu'il attrape des souris.

Le Héros, la gazette des Croyants justiciers bénévoles, reprend l'article de *La Voix des Mockbas* et le retourne contre elle.

La Voix des Mockbas nous appelle à la vigilance. Soit, nous entendons bien cela. Des choses se passent en effet à notre insu, nous le savons. Mais elle ne dit pas que ça, que nous aurions manqué d'attention : elle nous accuse d'avoir laissé proliférer le mal, d'être donc complices de je ne sais quel complot contre notre sainte religion, et nous reproche, à nous simples croyants qui prenons sur notre temps pour aider nos concitoyens, notre police religieuse et l'Inspection morale, de ne pas lutter contre le terrorisme que cette horde sauvage veut installer dans le pays. Devrions-nous aussi être des militaires et des policiers ? Nous savons ce que nous devons à nos honorables *mockbis* mais là nous disons non à leur journal, qui est leur porte-parole puisqu'il s'appelle *La Voix des Mockbas*, ou la voix des *mockbis*, ce qui revient au même, et nous l'accusons à notre tour d'avoir manqué de vigilance et de sérieux, car qui enseigne notre sainte religion à la population ? La *mockba*, c'est-à-dire eux ! Qui évalue le niveau de la morale des croyants dans les quartiers et les districts ? Encore la *mockba*, c'est-à-dire eux ! Qui enfin a légitimité pour déclarer le *rihad* et lancer une vaste opération d'assainissement des mœurs et des esprits ? Toujours la *mockba*, c'est-à-dire eux ! L'ont-ils fait ? Le font-ils ? Le feront-ils ? Non aux trois questions. Alors de grâce qu'ils nous épargnent les accusations gratuites. Nous sommes des bénévoles, nous nous sacrifions jour et nuit pour notre religion, nous voulons que cela soit reconnu et respecté. À bon entendeur, salut !

Une feuille ronéotée gratuite, publiée par un riche commerçant de la région du Sîn, dont quelques exemplaires circulent dans le pays grâce aux caravaniers, raconte cette petite histoire qui ressemble à un conte des montagnes :

Les gardes civils du village des Dru rapportent qu'un hélicoptère portant les armoiries de l'Honorable Bri a été aperçu manœuvrant dans les alentours du col de Zib au nord-ouest du fameux sanatorium du Sîn. Nous ne sachions pas que l'Honorable Bri, aujourd'hui notre Grand Commandeur par intérim, que Yölah l'aide et le protège, ait eu des intérêts dans la région. Nous aurions applaudi sa présence parmi nous et favorisé fraternellement et respectueusement ses affaires. Mais non, l'hélicoptère n'a fait que tournoyer ici et là et déposer sur un plateau un homme, chargé de son viatique de haute montagne. Tous les jours qui ont suivi, les gardes l'ont vu, entrevu, aperçu, habillé d'une curieuse façon, disons à l'ancienne, courant ici et là, puis là-bas, comme s'il cherchait quelque chose, une piste perdue, une ruine légendaire, un passage secret, la route interdite peut-être. Intrigués par son comportement, les Dru ont diligenté un groupe de jeunes pour monter le questionner, l'aider s'il était dans le besoin, le chasser s'il nourrissait des intentions mauvaises. Ils ne l'ont pas trouvé, nulle part, il avait disparu. Ils cherchèrent encore et encore et firent passer le mot dans les villages les plus reculés. Rien de rien. Les Dru ont finalement conclu que l'homme était venu pour chercher la fameuse Frontière et que, s'il n'était pas mort au fond d'un ravin ou emporté par le torrent, un éboulement, un glissement de terrain, une avalanche, il l'avait peut-être trouvée ou était reparti chez lui, la queue entre les jambes. Les jeunes en riaient en prenant le thé autour du feu, alors que la neige s'était remise à tomber avec une nouvelle vigueur, effaçant toute trace humaine ; contraints au gîte, ils se racontaient comment eux-mêmes et leurs parents l'avaient vainement cherchée, cette frontière mythique. Ils sont sûrs aujourd'hui qu'elle n'existe pas, pas chez eux en tout cas, elle doit se trouver plutôt de l'autre côté du col, au sud-est, sur le territoire des Bud ou celui des Raq, au-delà du sommet de Gur ou ailleurs car les Bud et les Raq sont de leur côté quasi certains qu'elle passe chez les Dru ou tout là-haut chez les Sher qui disputent le ciel aux aigles.

Cette histoire de Frontière est des plus étranges. Si la Frontière n'existe pas, et cela est sûr, sa légende, elle, existe et court toujours. Les ancêtres de nos lointains ancêtres en parlaient déjà mais dans nos montagnes au sommet du monde la frontière est ce qui sépare le bien du mal. Les nomades et les contrebandiers, eux, savent bien qu'aucune frontière ne sépare une montagne d'une autre, un col d'un autre, un nomade ou un contrebandier d'un autre. La frontière est leur lien. Si parfois des caravanes disparaissent et d'autres sont attaquées et décimées, ils savent qui sont les responsables, ce sont les caravaniers eux-mêmes, ceux qui ont rompu avec les lois divines pour s'adonner au vol et au crime.

DU MÊME AUTEUR

Aux Éditions Gallimard

LE SERMENT DES BARBARES, 1999. Prix du Premier Roman 1999, prix Tropiques, Agence française de développement, 1999 (Folio n° 3507)

L'ENFANT FOU DE L'ARBRE CREUX, 2000. Prix Michel Dard 2001 (Folio n° 3641)

DIS-MOI LE PARADIS, 2003

HARRAGA, 2005 (Folio n° 4498)

POSTE RESTANTE : ALGER. Lettre de colère et d'espoir à mes compatriotes, 2006 (Folio n° 4702)

PETIT ÉLOGE DE LA MÉMOIRE. Quatre mille et une années de nostalgie, 2007 (Folio 2 € n° 4486)

LE VILLAGE DE L'ALLEMAND ou LE JOURNAL DES FRÈRES SCHILLER, 2008. Grand Prix RTL-*Lire* 2008, Grand Prix SGDL du roman 2008 (Folio n° 4950)

RUE DARWIN, 2011. Prix du Roman arabe 2012 (Folio n° 5555)

GOUVERNER AU NOM D'ALLAH. Islamisation et soif de pouvoir dans le monde arabe, coll. Hors série connaissance, 2013. Prix Coup de cœur du *Point* 2013 et prix Jean-Zay 2013 (Folio n° 6061)

ROMANS (1999-2011), coll. Quarto, 2015

2084. LA FIN DU MONDE, 2015. Grand Prix du roman de l'Académie française 2015 (et dans la collection « Écoutez lire », 1 CD)

Interpretations

The sanitorium p.63

- Confined, isolated, punishment?

Composition CMB/PCA
Achevé d imprimer par Novoprint
le 3 avril 2017
Dépôt légal : avril 2017
1er dépôt légal dans la collection : janvier 2017

ISBN 978-2-07-271398-9./Imprimé en Espagne.

- Totalitarianism + control

- Religious manipulation + absurdity

- French universalism emphasises a singular national identity

- Postcolonial = interpretation of identity erasure + state control

Key scenes

p. 54 → religious rejection
p. 65 → "Liberté"
p 95 → religion destructive
p. 111 → language = removes individuality
p. 130 → the rights of women

322097